Ontdek de natuur

ONTDEK DE NATUUR

Hans Jürgen Press

TIRION NATUUR

Dit boek is gepubliceerd door
Tirion Uitgevers BV
Postbus 309
3740 AH Baarn

www.tirionuitgevers.nl

Omslagontwerp: Hans Britsemmer, Kudelstaart
Vormgeving binnenwerk: Karin Britsemmer, Uithoorn
Vertaling: Liesbeth Kuitenbrouwer

ISBN 978 90 5210 694 6
NUR 410

Tweede druk 2007

Voor het eerst gepubliceerd in Duitsland in 1972 door Otto Maier Verlag Ravensburg
Oorspronkelijke titel: Der Natur auf der Spur

Voorwoord

Wanneer je op het strand schelpen en slakkenhuisjes zoekt, let je vaak alleen op gave en mooie exemplaren.
De schelpen worden dan thuis in een doosje in een kast gestopt en er wordt niet meer naar omgekeken.
Maar als je thuis de schelpen nog eens nauwkeurig bekijkt, leer je aan de hand van de bijzondere kenmerken de verschillen tussen de soorten kennen. Je kunt er dan een verzameling van maken.
Net zoals met schelpen en slakkenhuisjes gaat het met de kennis van de natuur. Het heeft geen enkele zin om maar in het wilde weg veel te zien en te horen. Juist door zelf waar te nemen en te onderzoeken, ontdek je de rijke wereld van dieren, planten en stenen. Zo krijg je langzamerhand een grondige kennis van de natuur. Met deze kennis groeit de interesse, het gevoel voor de omgeving en de wil om dit te beschermen.
Toen ik nog op school zat, gaf de biologielerares op een dag alle leerlingen de opdracht om een bepaald gebied te kiezen en daarin de grond, de planten en de dieren te onderzoeken. Alle bijzondere geconstateerde feiten moesten wij opschrijven en met tekeningen verduidelijken. Ik koos destijds een klein veengebied. Vooral het wild en de vogels, hagedissen, padden en groepen insecten vond ik interessant. Thuis ontstond een mooie verzameling gedroogde bladeren, veren van vogels, stenen en gipsafdrukken van dierensporen. In glazen buisjes en dozen bewaarde ik zaden van planten, botjes en uilenballen. In een aquarium bouwde een stekelbaarsje zijn nest, in een kistje met zand loerde een mierenleeuw op zijn prooi. Ik deed steeds weer nieuwe, opwindende ontdekkingen en mijn schrift raakte langzaam vol. Op de kaft stond: *Ontdek de natuur.* Wat ik als jongen in de omgeving begon te verkennen, zet zich in dit boek voort. Het is niet de bedoeling dat dit een droog leerboek wordt, maar een plaatjesboek waarmee ik zoveel belangstelling hoop te wekken, dat je er zelf op uit trekt om de natuur te ontdekken.

Hans Jürgen Press

Lente

Prikkelbare klaverzuring 10
Het geheim van de knotwilg 11
Insecten en de kleur van de bloemen 12
Signalen in het bos 13
De taal van de merels 14
Waarschuwingssysteem van de dieren 15
De gehate bosuil 16
Kieviten in het voorjaar 17
Het ingemetselde hol van de specht 18
De keverlarve aan het lijf van de hommel 19
Bruiloftsklanken uit de plas 20
Hagedissenhol in de tuin 21

Zomer

De ontwikkeling van een pauwoog 22
Vlinder in bloempot 23
Leefgemeenschap in een mierennest 24
De weg van een insect 25
Wormstekige appel 26
Vlinders uit Afrika 27
Verdwaalde nachtvlinders 28

Insectenjacht door echopeiling 29
Vermomming en waarschuwing 30
Ontmoetingsplaats van de nachtvlinders 31
Lokaas voor vlinders 32
Vlinder op je vinger 33
Krekels als wachters 34
Bruiloftsmuziek in een insectarium 35
De herleving van een vlieg 36
Gevaarlijke kamervliegen 37
Vliegende weersvoorspellers 38
Vlieggeluiden van de vogels 39
Vruchtjes die uit elkaar klappen 40
Viooltjes langs mierenpaden 41
Jonge eiken in de haag 42

Herfst

Vliegende spinnen 43
Een vangnet van levensbelang 44
Galappeltjes op eikenbladeren 45
Een verpakt ei 46
Sporenafbeelding 47
Paddenstoelen in een kring 48

Leefgemeenschap in het bos 49
Paddenstoelmonster 50
Het raadsel van de elfenbankjes 51
Heksenbezem 52
Groene bosjes in de bomen 53
Trillende espenbladeren 54
Het skelet van een espenblad 55
Waarom de bladeren vallen 56
Kringloop van de voedingsstoffen 57

Winter
Een knal in de boomgaard 58
Voederautomaat voor graaneters 59
Hoe watervogels zich beschermen 60
tegen de kou
Vogels in de wind 61
Slaaphouding van de vogels 62
Warmte door beweging 63
Citroenvlinder in de sneeuw 64
Leven onder de sneeuw 65
Een vlieg in de winter 66
Een bezoeker op de kale eik 67

Bruidsvlucht in de winter 68
Winterrust en winterslaap 69
Voorraadkamer van de dieren 70
Hulp voor egels 71
Haas of konijn? 72
Rijp aan het konijnenhol 73
Truc van de haas 74
Schuilplaats onder de sneeuw 75
Vlucht tegen de berg op 76
Bruiloft van de hazen 77

Tuin en haag
Een nestkastje voor mezen 78
Een vogelholletje bij het raam 79
Hulp voor in de natuur broedende vogels 80
Een natuurwet 81
Blinkende bal tegen eksters 82
Gevaarlijk spiegelbeeld 83
Kunstmatige bevloeiing 84
Kersen in de regen 85
Stabiliteit door druk 86
Water uit berkenbladeren 87

Natuurlijke gazonmest 88
Het instinct van de regenwormen 89
Natuurlijke bescherming 90
Controle van een mol 91
Uit het leven van een wijngaardslak 92
Snelheid van een slak 93
Glinsterende sporen in de tuin 94
Zoet slakkenvoedsel 95
Bonte slakkenhuisjes 96
Vijand van de bladluizen 97

Veld, weiland, moeras
Mierenhoop in een weckfles 98
Huisje van schuim 99
Lichtsignaal van het glimwormpje 100
Broedcellen van bladknipsels 101
Bouwstof van de wespen 102
Jagers in het gras 103
Op de spies gestoken buit 104
Valkuilen langs de weg 105
Een karavaan van spitsmuizen 106
Bescherming voor kleine hazen 107

De kinderkamer van de wilde konijntjes 108
Groene plekken op het weiland 109
Ontluiken in vertraagd tempo 110
Planten met gifspuitjes 111
Kaas voor de zonnedauw 112
Planten onder water op jacht 113

Beek, vijver en meer
Zelfgebouwde microscoop 114
Een dier met vangarmen 115
Huisjes van hout en steen 116
De geboorte van een libel 117
Rovers uit de plas 118
Kikkerteelt in de tuinvijver 119
Bescherming voor het kikkerbroedsel 120
Liefdeslied van de kikkers 121
Verandering van ei naar kikker 122
Groene kikkers 123
De geboorte van een salamander 124
Een onderwatervergrootglas 125
Stekelbaarsjes in een aquarium 126
Verdediging van het gebied 127

De trek van de snoeken   128

Bos en heide
Spar of den?   129
Bladeren verzamelen   130
De levensloop van een boom   131
Teken van licht   132
Sabelgroei van de bomen   133
Leven in de holle wilgenboom   134
Wurgende ranken   135
Bescherming tegen verrotting
 in eikenhout   136
Poppen in de zonneschijn   137
De wegen van de mieren   138
Vergroting van mierenhopen   139
Scheikunde bij een mierenhoop   140
Vangkuilen in het zand   141
Geluiden uit de noot   142
Gaten in hazelnootbasten   143
Snavelsporen aan sparappels   144
Beknaagde sparappels   145
Herkenningstekens in de bast   146

Het bad van de wilde zwijnen   147
Voedselresten van de uilen   148
Veren onder een haviksnest   149
Een verzameling vogelveren   150
Lichtgevende ogen   151

Strand, stenen, zand
Afgeslepen bomen   152
Duinbewoners   153
Lichtgevende tekens aan het strand   154
Een klein zeeaquarium   155
Vissen vangen bij eb   156
Verdeelde zeesterren   157
Gangetjes in de zeebodem   158
Kreeften met gevoel voor richting   159
Vondsten met een verhaal   161

Prikkelbare klaverzuring

De klaverzuring die al in het voorjaar voor een sappig groen tapijt zorgt in de loofbossen, gedraagt zich heel merkwaardig. Strijk je met de hand over de opengesperde blaadjes, dan beginnen ze zich langzaam samen te vouwen. In feite reageert de klaverzuring precies zo op de prikkeling van het aanraken als het kruidje-roer-mij-niet doet: op een manier die nog niet helemaal te verklaren is, vermindert de druk van de cellen op het punt waar de blaadjes beginnen, en als bij scharnieren zakken de blaadjes. Ook op duisternis en te veel zonlicht reageert de klaverzuring door zich samen te vouwen.

Het geheim van de knotwilg

Hoe komt het dat knotwilgen langs boerensloten of de rand van een weiland meestal in een rij staan? Ze hebben zich dikwijls uit de palen ontwikkeld, die iemand jaren tevoren uit wilgenhout had gezaagd om ze als omheining neer te zetten. Waar de grond vochtig was, hebben ze wortel geschoten en zijn het hele bomen geworden. Door de bezemvormige begroeiing bovenop de stam dikwijls af te snijden, ontstond in de loop van de jaren een verdikking die ons aan een hoofd doet denken. Let op: afgesneden wilgentakjes die je in een vaas met water zet, schieten na een paar dagen al wortel en kunnen dan uitgeplant worden.

Insecten en de kleur van de bloemen

Als je eens let op bijen, zweefvliegen en vlinders die op het wasgoed gaan zitten dat in de zon hangt, dan merk je dat ze de voorkeur geven aan wit en felle kleuren. Tegenover de kleur van bloemen gedragen insecten zich precies zo. Op rood komen alleen maar vlinders af, andere insecten zijn blind voor deze kleur. Vooral in het bos is dit goed te merken. Omdat de donkere kleuren rood, paars en blauw in de schaduw minder opvallen, is het duidelijk waarom daar alleen maar witte of zachtroze bloemen bloeien: de andere worden door de insecten over het hoofd gezien, blijven onbestoven, vormen geen zaad en sterven uit.

Signalen in het bos

Een luid ratelend 'rrrr' doet ons in het voorjaarsbos opschrikken. Het is een specht die een dorre tak laat trillen door er heel snel achter elkaar met zijn snavel tegenaan te tikken. Hoe luider het signaal klinkt, des te meer indruk maakt hij op zijn vrouwtje en des te groter wordt zijn gebied. Voor zijn soortgenoten betekent het ratelen namelijk dat dit gebied al bezet is en dat zij daar niets te zoeken hebben. Precies hetzelfde bereikt de vink met zijn gefluit. Hij bakent zijn gebied af om daarin later voldoende voedsel voor zijn jongen te vinden.

De taal van de merels

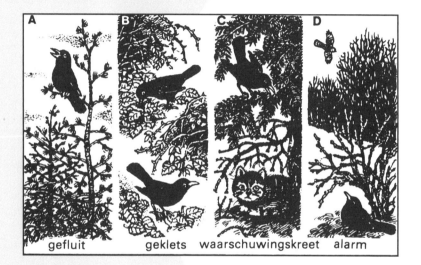

gefluit   geklets   waarschuwingskreet   alarm

De verschillende geluiden van de merels verraden overduidelijk wat die vogels hebben mee te delen. Met een melodisch gefluit in 150 verschillende strofen wedijvert het mannetje om het vrouwtje en bakent tegelijkertijd het broedgebied af (A). Het behaaglijke 'doek-doek' is gewoon het kletsen dat de vogels met elkaar doen (B). 'Tsjink-tsjink-tsjink' en later een scherp 'kiek-kiek' zijn waarschuwingskreten (C). Een luid, doordringend 'tsie' betekent voor alle vogels 'alarm' (D). De merel heeft dan meestal een roofvogel zien aankomen, een sperwer bijvoorbeeld, en zit bewegingloos op een veilig plekje.

Waarschuwingssysteem van de dieren

Met heel verschillende waarschuwings- en schrikachtige geluiden laten de dieren elkaar weten dat er een rover in de buurt is, bijvoorbeeld een kat, een vos, marter of bunzing. Meestal vangen de mezen ze het eerst op met hun gekwetter (1). De groenvink komt daarna en roept indringend 'uuiii-uuiii' (2), de merels waarschuwen met 'kiek-kiek-kiek' (3). Als de Vlaamse gaai het gevaar heeft geroken, laat hij zijn ver klinkende 'retsj' horen (4). Het konijntje trommelt met zijn achterpoten op de grond, waarop zijn jongen het hol in vluchten (5). De ree schrikt op met een hees, doordringend geblaf (6).

De gehate bosuil

Als je een luid spektakel van zangvogels in een boom hoort, is het mogelijk dat ze bij het zonnebaden een bosuil ontdekt hebben. Meer dan andere uilen wordt hij gehaat, omdat hij 's nachts op kleine slapende vogels jaagt. De uil reageert op dit gekwetter door schijnbare grappen te maken: hij spreidt de veren in zijn gezicht, die als oorschelpen dienen, wijd uiteen en omdat zijn pupillen niet kunnen bewegen, draait hij zijn kop met een ruk van de ene naar de andere kant. Als hij ten slotte de vlucht neemt, wordt hij achtervolgd door een krijsende vogelschaar. De kraaien pakken hem in duikvlucht en hakken zo met hun snavels op hem in dat de veren in het rond vliegen.

Kieviten in het voorjaar

Als je in april door de weilanden zwerft, word je door de kieviten ontvangen. 'Kiewiet-kiewiet' klinkt hun roep en overmoedig en wild omtuimelend vliegen de vogels door de lucht. Als een kievit vindt dat zijn nest wordt bedreigd, probeert hij de indringer weg te lokken door te doen alsof hij vleugellam is en schijnbaar gewond door het gras te hompelen. De eieren (bijna altijd vier) liggen helemaal onbeschermd op wat droog gras in de wei, alleen gecamoufleerd door hun olijfgroene kleur en zwarte spikkels. Natuurlijk blijf je er vanaf.

Het ingemetselde hol van de specht

Het sluipgat van een spechthol in een boomstam is soms op een kleine ronde opening na, stevig met leem dichtgemetseld. Dat is het werk van de boomklever die zich in het verlaten hol heeft genesteld. Om zich te beschermen tegen grotere vogels en vijanden heeft het boomklevertje het sluipgat met stukjes leem zover dichtgemetseld dat hij er alleen nog zelf door kan glippen. Op zoek naar insecten zie je hem spiraalsgewijs om de boomstam lopen. In de spleten van de bast kun je dan graan en noten vinden die de vogel er als voorraad heeft ingeklemd en die hij gedeeltelijk heeft opgepeuzeld.

De keverlarve aan het lijf van de hommel

De dikke, donkerblauw glanzende olie-kever (meiworm) die je in het voorjaar tegenkomt, heeft een hoogst merkwaar-dige ontwikkeling. Zijn 2 mm groter gele larven (A), die uit eieren zijn gekropen, klimmen langs de bloem-stengels omhoog en wachten in de bloemen op honingzoekende insecten. Aan deze insecten klampen zij zich vast en worden zo meegenomen. Een larve heeft geluk als ze een hommel te pak-ken heeft. Ze vliegt met haar het hom-melnest in en bij het leggen van de eieren laat ze zich mee opsluiten in de honingraatcellen. Ze verorbert het ei en de honing, verpopt zich en ontwik-kelt zich in de loop van het volgende jaar tot een kever.

Bruiloftsklanken uit de plas

Vuurpadden zijn beschermd. Je mag ze bekijken, niet houden.

Zacht klokgelui schijnt overdag in het voorjaar uit de diepte van een dichtgegroeide plas te komen. Het zijn de bruiloftsklanken van de vuurpadden, die in Zuid-Limburg voorkomen. Hier en daar zie je hun ogen tussen de blaadjes van het eendenkroos doorkijken. Voelt een vuurpad zich bedreigd, als je hem bijvoorbeeld aan de kant verrast, dan neemt hij een schrikhouding aan: hij kromt zich zo om dat de onderkant van zijn lijf en de poten met de rode of gele 'afschrikkende kleur' naar boven ligt.

Hagedissenhol in de tuin

De veldhagedissen die langs hagen en randen van velden door het gras schieten, stammen van de voorwereldlijke hagedissen, de sauriërs. In kleine dorpen leven ze dikwijls op verwilderde stukken grond. Voor ze hier onder een bulldozer of graafmachine raken, moet je ze vangen en een andere woonplaats geven. In een rotstuin blijven ze soms jarenlang. Van stenen tegels bouw je een hol dat tegen de vorst bestand is, met nauwe spleten waarin zij zich kunnen verbergen - zeker tegen de wezel, de mol en de spitsmuis. Als het enigszins mogelijk is, strooi je voor het hol zand uit een terrarium waarin al de geur van hagedissen zit.

Alle hagedissoorten zijn beschermd.

De ontwikkeling van een pauwoog

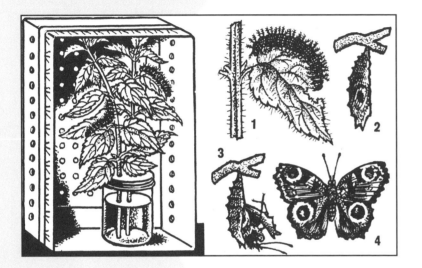

Wil je meebeleven hoe een rups in een vlinder verandert, dan moet je in de tweede helft van juni een of twee van de zwarte rupsen van de dagpauwoog nemen, die dikwijls in grote aantallen op hun voedingsbodem, de brandnetel-plant, zitten. Je zet ze in een kartonnen doos met gaatjes, dekt de voorkant af met plastic folie en voert ze iedere dag verse brandnetels. Begin juli zet de rups zich vast en verpopt zich. Na ongeveer twee weken schemeren de bontgevlekte vleugels door het omhulsel van de pop. De volgende dag scheurt deze open en de vlinder kruipt naar buiten. Geef de vlinder direct de vrijheid.

De poppen van een vlinder verklappen in de zomer hun geheim. Leg ze op een bloempot die niet te zonnig staat en waarin de aarde niet te vochtig is (1). Op een dag maakt de vlinder met zijn voorpoten de 'ritssluiting' (2) open en perst zich uit de huls (3). De samenge-vouwen vleugels hangen nog slap naar achteren (4). Nu moet de vlinder langs een tak omhoog kruipen zodat zijn vleugels naar beneden kunnen hangen. Hij pompt lucht in de aderen van de vleugels waardoor ze zich spannen (5). De vleugels zijn van een zachte sub-stantie die we chitine noemen en na een paar uur met de lucht in aanraking te zijn geweest, wordt dit hard (6).

Leefgemeenschap in een mierennest

Hemelsblauwe (blauwtjes) en bruinige tot koperrode vlinders zie je dikwijls samen met mieren onder de bladeren van planten zitten, waar ze lekker drinken van het zoete vocht dat bladluizen afscheiden. Deze kleine vlinder heeft een merkwaardige vriendschap met de mier. Hun groene rupsen scheiden namelijk ook een zoet kliersap af, dat de mieren weer erg lekker vinden. Daarom slepen de mieren de rupsen vaak in grote aantallen naar hun nest, waar ze gevoed worden. Als de vlinders uit de poppen zijn gekropen, brengen de mieren ze terug in het daglicht.

Op bladeren van loofbomen zie je dikwijls lichtdoorlatende, kronkelende gangetjes, zogenaamde mijngangen. Ze zijn gemaakt door de larven van kleine insecten, die de bladgroenhoudende binnenste cellen opeten, maar de opperhuid van de boven- en onderkant van het blad sparen. De larve van een mijnmot laat één donkere streep in het gangetje achter (A), de larve van een mijnvlieg daarentegen twee donkere strepen (B). Bij het nauwe begin van een gangetje is de larve uit een ei gekomen. Aan het brede einde van de gang vind je dikwijls nog de intussen volwassen geworden larve en soms al de pop van het insect.

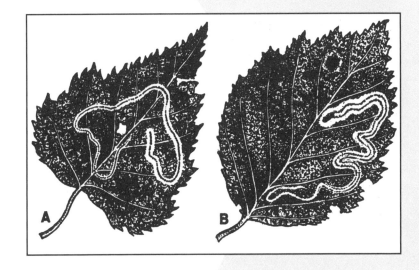

Wormstekige appel

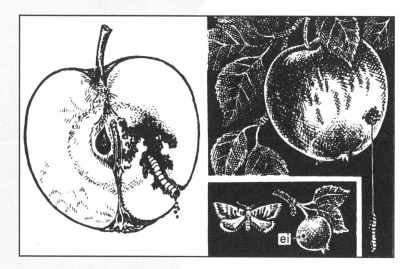

Hoe komt eigenlijk de 'worm' in een appel? Om precies te zijn is het de rups van de appelbladroller, een kleine, onooglijke nachtvlinder. Deze legt in de vroege zomer telkens één ei op een jonge appel. De larve die hier uit kruipt, eet zich door het vruchtvlees heen en verorbert de kern, het klokhuis. Voordat de appel helemaal rijp is, knaagt hij een nieuwe weg van binnen naar buiten en laat zich ten slotte aan een draad, die hij uit een spinklier afscheidt, van de boom naar beneden zakken. Achter de schors van de boombast zoekt hij een schuilplaatsje voor de winter.

Vlinders uit Afrika

Niet iedereen weet dat de distelvlinders, die je vooral op de bloemen van distels ziet zitten, allemaal uit Noord-Afrika zijn gekomen. In feite vliegen ieder voorjaar miljoenen van deze vlinders in zwermen uit het zuiden naar ons toe. Ze steken de Middellandse Zee en de Alpen over op een hoogte van ongeveer 2000 meter, om in Midden- en Noord-Europa naar voedselplaatsen te zoeken. Ook de atalanta of nummervlinder, de doodshoofdvlinder en het duivenstaartje komen uit het Middellandse Zeegebied. Hier zorgen ze allemaal voor hun nageslacht en de jonge vlinders trekken met de herfststormen mee terug naar het zuiden.

Verdwaalde nachtvlinders

Waarom komen nachtvlinders op lamplicht af? Zij worden niet door het licht aangetrokken, maar juist op een dwaalspoor gebracht. Nachtvlinders oriënteren zich op de maan als zij door de donkere nacht vliegen. Zij weten dat zij rechtuit vliegen zolang het licht van de maan vanaf dezelfde plek in hun ogen schijnt. Komen zij echter langs een verlichte lantaarn, dan verwisselen zij die met de maan. Om nu ook het licht van de lantaarn vanaf dezelfde plek in hun ogen te houden, wijken zij van hun rechte koers af en naderen in een spiraal vliegend de lichtbron.

Insectenjacht door echopeiling

Als het helemaal donker is kan de vleermuis door echopeiling niet alleen hindernissen maar ook insecten waarnemen. Tijdens zijn vlucht stoot hij voor mensen onhoorbare ultra-akoestische geluiden uit. Als de geluidsgolven op een insect stuiten, worden ze teruggekaatst naar het gevoelige oor van de vleermuis. Hij oriënteert zich op deze echo en achtervolgt zo de insecten. Enkele nachtvlinders, uilen en spanrupsen kunnen echter met gehoororganen, die zij in hun borst of achterlijf hebben, de geluiden van de vleermuis waarnemen. Instinctief laten zij zich vallen en ontkomen zo aan hun achtervolger.

Vermomming en waarschuwing

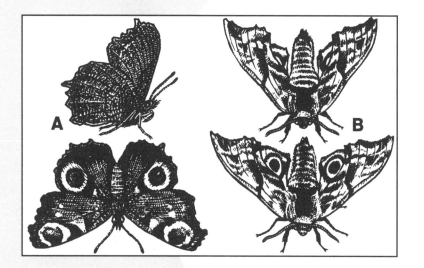

Veel vlinders ontwikkelden een bijzonder geraffineerde tekening op de vleugels om hun vijanden af te schrikken. De dagpauwoog, die in een rustige houding door de onbeduidende tint van de onderkant van zijn vleugels is vermomd, vouwt bij gevaar zijn vleugels open. Vogels, die de vlinder meestal van voren willen pakken, zien opeens een uilengezicht (A). De nachtpauwoog lijkt in rusthouding op de kop van een slapende kat. Als de vlinder wordt opgeschrikt, slaat hij met een ruk de voorste vleugels naar voren en het lijkt dan net of er twee angstaanjagende ogen opengaan (B).

Ontmoetingsplaats van de nachtvlinders

De bloemen van de kamperfoelie, die in hagen en bossen langs bomen omhoog klimt, hebben een bedwelmend zoete geur. Pas in de avond, als de nachtvlinders onderweg zijn, ontwikkelen de bloemen die geur. Door de reukorganen in hun voelsprieten ruiken de nachtvlinders de geur al op kilometers afstand en vliegen eropaf. Op een warme zomeravond kun je talrijke soorten vlinders bekijken als ze om de gelige en roodachtig getinte bloemen fladderen en nectar drinken uit de horizontaal hangende, buisachtige bloempjes, waarvan de vorm is aangepast aan de zuigsnuit.

Lokaas voor vlinders

papieren servetje

Het zoet geurende sap dat opwelt uit een beschadigde stam van een berk lokt behalve glanzende kevers hele zwermen vlinders aan: de dagpauwoog, de atalanta en misschien ook een keer de zeldzaam geworden koningsmantel. Ze snoepen allemaal van het gistende berkensap, dat hen bijna dronken maakt. Een zelfgemaakt mengsel van moutbier, siroop, appelmoes en een beetje rum lokt vooral nachtvlinders. We dopen een papieren servetje in het vocht en drukken dat in een yoghurt-beker die je in een bloem verandert en op een stok steekt.

Vlinder op je vinger

Op rottend, gevallen fruit zie je dikwijls vlinders zitten. Ze drinken van het gistende sap en zijn daardoor vaak zo beneveld, dat je ze met twee vingers aan de buitenkant van de vleugels kunt beetpakken en optillen. Je mag nooit de binnenkant van de vleugels aanraken met haar gekleurde schilfertjes zo fijn als stof of een vlinder tussen je vingers laten fladderen! De atalanta en de dagpauwoog blijven rustig op je vinger zitten als je een druppel sap van jam voor ze neerlegt. Ze rollen hun 17 mm lange zuigsnuit uit, dopen hem in het sap en snoepen ervan.

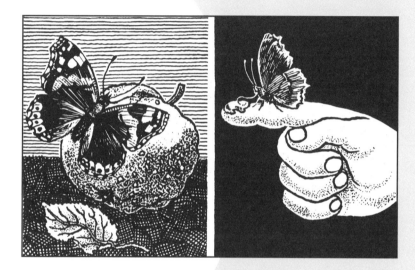

Krekels als wachters

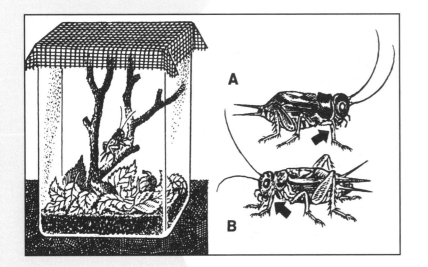

Op zomeravonden laten krekels hun fijne 'tsjir-tsjir' horen: de veldkrekel met zijn glanzend zwarte kop (A) en de bruingele huiskrekel (B). Je kunt een krekel vangen in het licht van een zaklantaarn, zet hem dan in een doorzichtige kom van glas of plastic met wat zand en bladeren en voer hem met havervlokken, fruit en insecten. Een krekel sjirpt door zijn vleugels tegen elkaar te wrijven. In China werden krekels al van oudsher als waakdieren in hokjes gehouden. Met hun gehoororganen in de voorbenen (pijl) kunnen zij zachte geluiden waarnemen en ze onderbreken dan hun nachtelijk gesjirp.

Bruiloftsmuziek in een insectarium

In een insectarium met verse bladeren kun je je een paar dagen vermaken met het gesjirp van de sprinkhaanmannetjes. Ze schuren daarbij hun dekvleugels tegen elkaar. De vrouwtjes, die je aan hun legbuisjes herkent, horen de bruiloftsmuziek kilometers ver met de gehoororganen in hun voorpoten. Ze bepalen waar het geluid vandaan komt door hun poten in die richting te plaatsen. Aangetrokken door het gesjirp vliegen zij naar de mannetjes en verzamelen zich dus ook in de tuin voor het insectarium. Je voert ze met sla, fruit, stukjes witbrood en insecten.

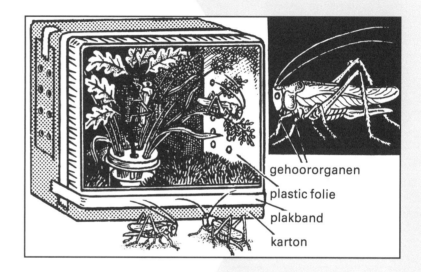

gehoororganen

plastic folie

plakband

karton

De herleving van een vlieg

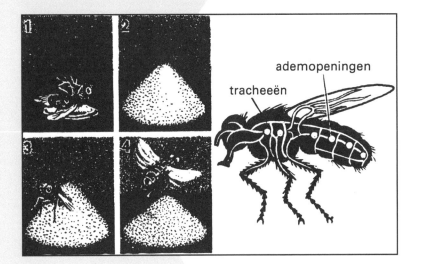

tracheeën

ademopeningen

Een kamervlieg die in het water is gevallen, lijkt na een paar minuten helemaal dood. Je kunt hem echter meestal wel weer tot leven wekken: je neemt de vlieg uit het water en strooit een bergje droog keukenzout over hem heen. Na ongeveer 20 minuten krabbelt hij uit het zout te voorschijn en zoemt weg. Hoe kan zoiets nou? In de tracheeën, de fijne luchtpijpjes in het lijf, de vleugels en de poten van de vlieg dringt water binnen, en omdat zijn organen geen zuurstof meer krijgen, raakt hij verdoofd. Omdat zoutkristallen vocht opnemen, trekt het water weer weg uit de luchtpijpjes.

Dat vliegen ziektekiemen overdragen op onze voedingsmiddelen kun je bewijzen. Je lost een klein bouillonblokje op in een beetje heet water, maakt de vloeistof een beetje dikker met wat stijfsel en laat het afkoelen in een schone schroefdeksel die je met glas afdekt. Daarna sluit je er een vlieg onder op, laat hem een poosje over de voedingsbodem rondlopen en laat hem weer vrij. Na 1 tot 2 dagen ontstaan daar waar het insect gelopen heeft kleine melkachtige vlekjes: dit zijn hele kolonies bacteriën die de vlieg heeft meegebracht en die zich intussen enorm vermeerderd hebben.

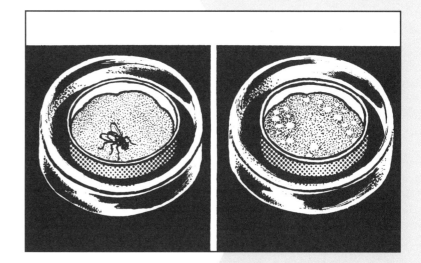

Vliegende weervoorspellers

verschillende lieveheersbeestjes

Insecten kunnen veranderingen in de luchtdruk waarnemen, net als een barometer. Muggen, vliegen en kevers, gevleugelde bladluizen en mieren gaan daarom alleen maar de lucht in als het goed weer wordt (is) en ze verenigen zich tot reusachtige zwermen. Zwaluwen gaan hen achterna en voorspellen ons dus het weer. De insecten komen nu en dan in stijgwinden terecht of worden boven zee afgedreven. Zo komt het dat er dikwijls aan het strand miljoenen lieveheersbeestjes worden aangespoeld. Veel van deze nuttige beestjes kun je redden als je ze met leidingwater afspoelt en voert met suiker.

Vlieggeluiden van de vogels

Als vogels vliegen, ontstaan door de wrijving van de lucht aan de vederbos en de wrijving tussen verschillende veren onderling, dikwijls eigenaardige geluiden. Wilde eenden trekken met luide wiekslag langs de hemel. Hun slagveren hebben een scherpe rand waarmee ze als het ware door de lucht snijden, waarbij de veren hoorbaar trillen. De kerkuil daarentegen vliegt volkomen geruisloos tijdens zijn nachtelijke muizenjacht. Zijn slagveren hebben een fijngetande rand die zacht door de lucht strijken. Het hoorn waaruit de vederbos bestaat, is heel fijn en elastisch.

Vruchtjes die uit elkaar klappen

'Groot Springzaad' noemen we ook wel de plant die met zijn gele, trompetachtige bloemen langs de bosrand en in de schaduw van het struikgewas te vinden is. Je zult verrast zijn als je zijn op heel kleine augurken lijkende doppen beetpakt. Plotseling 'exploderen' de doppen: als een klokveer rollen de vijf schilletjes bliksemsnel samen en slingeren de zware zaadkorrels in grote bogen weg. Bij de rijpe dop zijn de 5 lengtenaden losser gaan zitten, de spanning die tussen het buitenste en het binnenste klapvlies van de dop bestaat, kan zich ontladen.

Viooltjes langs mierenpaden

Strooi je viooltjeszaad langs een mie-renpad dan worden ze door de mieren begerig opgeraapt en meegesleept. Als je echter voor het uitstrooien de kleine vlezige aanhangsels van het zaad ver-wijdert, dan wordt er niet naar omge-keken. Mieren verzamelen namelijk juist om dit zoet smakende gedeelte de zaden, die uit het geknapte zaadhulsel van het viooltje gevallen zijn. Ze knab-belen dit stukje er meestal op weg naar hun nest af en laten het eigenlijke zaadje liggen. De korreltjes ontkiemen en zo komt het dat viooltjes heel dik-wijls daar groeien waar mieren hun paden banen.

Jonge eiken in de haag

blauwe vleugelveer van de Vlaamse gaai

Eikels vallen uit de lucht als in de nazomer de Vlaamse gaaien uit de dorpen de bossen intrekken. Ze hebben in de oude eiken hun snavels vol met eikels gestopt en fladderen, omdat het geen volhardende vliegers zijn, meestal langs hagen om steeds weer uit te kunnen rusten. Een deel van de eikels verliezen ze onderweg, zaad voor nieuwe rijen bomen. De rest van de eikels verstoppen ze als wintervoorraad in de bosgrond (A), maar ze vinden ze zelden terug. Zo kan het gebeuren dat we midden in een bos met naaldbomen een enkele eik tegenkomen (B) en daarnaast misschien de hemelsblauwe vleugelveren van de Vlaamse gaai.

Vliegende spinnen

In september zweeft fijn, glinsterend spinrag door de lucht, de zogenaamde herfstdraden. Met een vergrootglas kun je duidelijk zien dat aan het eind van iedere draad een beestje hangt. Het zijn jonge spinnetjes van de meest uiteenlopende soorten die op tocht zijn, op zoek naar een winterverblijf. Ze klimmen langs planten, schuttingen en muren omhoog en vormen fijne draden uit hun spinklier in het achterlijf. De wind neemt de draden op en voert ze samen met de diertjes mee, meestal alleen maar tot een volgende plant, maar ook wel een heel eind verder.

Een vangnet van levensbelang

Een kruisspin moet om de 2 dagen een nieuw web maken om levend voedsel te vangen waaruit ze weer nieuw spinrag kan produceren. Eerst spant ze een raam (1), daarna straalvormige draden (2), die ze met een onderbroken spiraal verbindt (3). Vervolgens voegt ze er nog een klevende spiraal aan toe (4). Als er iets in het web zit, wordt dit door een signaaldraad aan de spin doorgegeven. Aan de trillingen voelt ze of het alleen maar een grasspriet ofwel een vlieg is waarmee men haar te voorschijn wil lokken. Ze stort zich op het insect, doodt het met één beet, omwikkelt het snel met een bundel spinrag en zuigt het uit.

Galappeltjes op eikenbladeren

Galappeltjes noemen we de bolletjes die we op eikenbladeren vinden. Het zijn de broedkamertjes van een soort galwesp. Zij legt haar eieren in het bladweefsel en dit woekert, aangespoord door prikkelende stoffen, als een bolletje om ieder ei heen. Als je een groen galappeltje opensnijdt, vind je er een kleine witte larve in (A). Deze voedt zich met het sappige weefsel aan de binnenkant en verpopt zich in de herfst. Bewaar je een intussen houtachtig geworden galappeltje buiten in een potje (wel tegen de regen beschermen), dan kun je in de winter zien hoe een zwartglanzende galwesp naar buiten komt gekropen. Let ook eens op andere soorten galappeltjes!

Een verpakt ei

Dikwijls zien we een eikenblad waarvan de voorste helft lijkt afgesneden. Aan deze kant hangt een klein pakje van samengerolde bladstukjes. Als je dit openmaakt vind je binnenin een kleine, gele rups, de larve van de eikenbladroller. In juni snijdt het vrouwtje van deze roodachtige snuitkever met haar kaken het blad vanaf de beide zijkanten tot aan de middelste bladnerf in, wikkelt de bladpunten samen en verpakt daarin een ei, dat zo goed beschermd is tegen vijanden en slechte weersomstandigheden. Op berken en hazelnotenstruiken kun je samengerolde bladeren van andere soorten snuitkevers vinden.

Leg je de hoed van een oudere plaatjes- of buisjeszwam op een warme, droge plaats op een stuk papier, dan zie je daarop de volgende dag een sporenafbeelding, gevormd van fijn stof. Dit stof bestaat uit miljoenen microscopisch kleine, ééncellige sporen die uit de plaatjes of buisjes zijn gevallen. De hoed is het vruchtlichaam van de paddenstoel, de eigenlijke paddenstoelplant is een in de aarde groeiend vlechtwerk van witte dunne draden, de zwamvlok. Deze ontwikkelt zich uit een afzonderlijke spore, die door de wind op de juiste grond is achtergelaten. Na jaren vormen zich nieuwe vruchtlichamen.

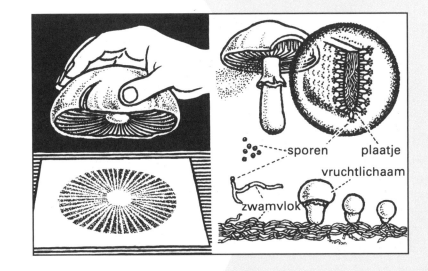

Sporenafbeelding

sporen   plaatje

vruchtlichaam

zwamvlok

Paddenstoelen in een kring

Het is best mogelijk dat je wel eens paddenstoelen in 'heksenkringen' ziet staan, in het bos of in het weiland. Vroeger dacht men dat heksen in deze kringen kwamen dansen. De verklaring voor deze kringen ligt echter in de bijzondere groei van de paddenstoel-zwamvlok in de aarde. Als een paddenstoelspore ontkiemt, groeit de zwamvlok als een spinnenwebachtig vlechtwerk straalvormig naar alle kanten. In de loop der jaren sterft het oudere, binnenste deel van de zwamvlok af en alleen in het jongere gedeelte dat als kring behouden blijft en elk jaar opnieuw verder naar buiten groeit, kunnen zich vruchtlichamen vormen die we paddenstoelen noemen.

Leefgemeenschap in het bos

Als je onder een den, waar boleten
staan, voorzichtig de aarde wat weg-
krabt, zie je dat de witte paddenstoel-
zwamvlok de fijne haarwortels van de
den met een viltachtig weefsel heeft
overtrokken. Boom en paddenstoel
leven samen tot wederzijds voordeel.
Zo'n leefgemeenschap noemen we sym-
biose. De fijne celdraden van de pad-
denstoelzwamvlok zijn tussen de buitenste cellagen van de wortels van de
den gedrongen en leiden daar water en
voedingszout naar toe. Op dezelfde
manier geeft omgekeerd de boom wat
van zijn opbouwstoffen, die in de bladeren geproduceerd worden, aan de
paddenstoel af.

Paddenstoelmonster

Als je op een rijpe aardappelbovist trapt (een bovist of wolfsveest is een soort paddenstoel), ploffen er zachtjes geelbruine wolken uit die miljarden sporen bevatten. Wie kent echter de reuzenbovist, een andere wolfsveest, die soms op velden en weiden voorkomt? Hij kan wel een halve meter dik worden en zo'n vijftien pond wegen. Zolang hij wit is, kun je hem eten en je kunt hem net als een schnitzel braden. Het bruine stof in de rijpe paddenstoel bestaat uit meer dan 7 miljard sporen. Zou elke spore van een enkele paddenstoel een nieuwe reuzenbovist vormen, dan zou ieder mens op aarde er 2500 stuks krijgen!

Het raadsel van de elfenbankjes

Op de stam van een omgevallen, vermolmde beuk zie je dikwijls een aantal elfenbankjes. Waarom echter zitten enkele van deze halfronde schaalvormige paddenstoelen horizontaal en andere vertikaal aan de stam vast? De horizontale zijn gegroeid toen de boom nog stond en de andere ontstonden na de val. Net als alle buisjespaddenstoelen heeft het elfenbankje zijn buisjes, waarin de sporen zich bevinden, aan de onderkant zitten, beschermd tegen de regen. Deze zwam is een parasiet: zijn zwamvlok dringt door de bast in de boom, ontneemt hem voedingsstoffen, onderbreekt langzaam de saptoevoer en vermenigvuldigt zich verder op de afgestorven stam.

Heksenbezem

In kale boomtoppen en vooral in berken zie je dikwijls verwarde bundels van takjes die op vogelnestjes of maretakken lijken. Deze 'heksenbezems' worden veroorzaakt door een bijzonder soort paddenstoel, waarvan de sporen in het voorjaar op een tak van de boom terechtkomen. Geprikkeld door bepaalde stoffen van deze paddenstoel, beginnen alle knoppen op deze plaats uit te lopen tot een bundel takjes die op een bezem lijkt. In het begin zijn de 'heksenbezems' bebladerd, maar later sterven de takjes af. De paddenstoel vormt op deze bundels nieuwe sporendragers, die de parasiet op andere takken overbrengen.

Groene bosjes in de bomen

Als alle bladeren in de herfst van de bomen zijn gevallen, worden in linde- en appelbomen de altijd groene, bolronde bosjes maretakken (mistletoe) zichtbaar. Het zijn parasiterende planten die zich voeden met het sap van de boom. Als je van een gevelde boom de aangetaste tak splijt, dan zie je de ijspegelvormige 'frees' die de maretak in het hout heeft gedreven. Elk jaar vormt hij een nieuwe frees die telkens de jongste jaarring, die het sap aanvoert, aftapt. De witte bessen van de maretak worden graag door vogels gegeten, de onverteerbare, kleverige pitten ontkiemen op andere takken tot nieuwe mistletoe.

Trillende espenbladeren

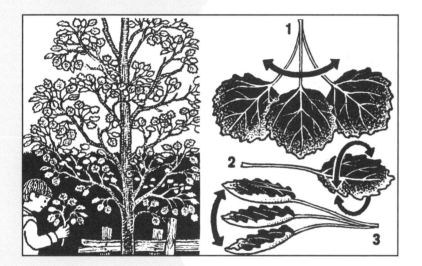

Een trilpopulier of esp doet aan een grote mobile denken omdat zijn bladeren ook maar door het kleinste zuchtje wind bewegen. Afhankelijk van de richting waarin de wind de ronde blaadjes met hun afgeplatte stelen beweegt, spartelen ze heen en weer (1) of draaien ze zich om hun steel waarbij ze afwisselend hun donkere bovenkant en hun lichte onderkant laten zien en een bepaalde glinstering teweegbrengen (2). Of ze trillen op en neer: omdat door hun lichte welving de druk van de onderlangs strijkende wind wat vermindert, worden ze door de normale luchtdruk van boven een beetje naar beneden gedrukt (3).

Het skelet van een espenblad

Terwijl de afgevallen bladeren van de meeste boomsoorten na een jaar tamelijk verrot zijn, worden in de bladeren van de esp alleen de weke cellen van het bladoppervlak (bladmoes) ontbonden, en dat vooral als ze op vochtige grond liggen. Het bladskelet met zijn haarfijne adertjes blijft meestal helemaal behouden. Ook de banen in de bladsteel, waar water en voedingsstoffen doorheen vloeiden, blijven ongeschonden. Zelfs nu nog merk je de elasticiteit van de aan de boom zittende steel, de veerkracht van een fijne staaldraad, die het trillen van het blad mogelijk maakte.

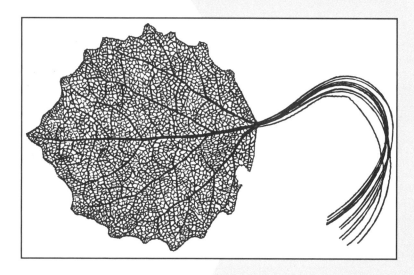

Waarom de bladeren vallen

De bladeren aan een boomtak die in de zomer is gebroken, verdrogen. Eigenaardig genoeg hangen ze echter nog aan de tak als de boom in de herfst al lang zijn andere bladeren heeft verloren. Gewoonlijk wordt het vallen van de bladeren veroorzaakt door een dunne kurklaag die zich bij het begin van de bladsteel tussen twee cellagen vormt en die zo de sapbanen afsluit. Bij de gebroken tak ontbreken deze kurkcellen. De sapbanen die door het begin van de bladstelen lopen zijn ingedroogd, maar niet onderbroken. Het vallen van de bladeren is dus een onderdeel van de groei.

Kringloop van de voedingsstoffen

Als je het bladerdek van een beuken-
bos eens nader bekijkt, kun je duidelijk
drie lagen onderscheiden. (1) De
bovenlaag, met eetsporen van insecten,
bestaat uit bladeren die in de herfst
zijn gevallen. (2) De tweede laag (een
jaar ouder) is gedeeltelijk verrot blad
waarin de larven en poppen van insecten overwinteren. (3) Een nog diepere
laag (weer een jaar ouder) van kruime-
lige bladeren, die door bacteriën en
paddenstoelen verregaand 'geminerali-
seerd', d.w.z. in hun grondstoffen ontbonden zijn. Deze worden door de
haarwortels van de bomen, die door de
laag heen gaan, als voedingsstoffen
weer opgenomen en opnieuw gebruikt
voor de opbouw.

Een knal in de boomgaard

scheuren door de vorst

Waarom worden in de winter de stammen van vruchtbomen dikwijls gekalkt? De warmte van het hele vroege voorjaarszonnetje brengt het sap in de buitenste groeilaag van de stam voortijdig in beweging. Bij nachtvorst bevriest dat sap en omdat water uitzet als het ijs wordt, springen de sapbanen, dikwijls met een luide knal, net als bevroren waterleidingen: er ontstaan scheuren door de vorst. De wonden gaan weliswaar dicht door harsafscheiding, maar toch kunnen veroorzakers van verrotting nog binnendringen. Stammen die gekalkt zijn worden niet zo warm omdat lichte kleuren de zonnestralen terugkaatsen.

Voederautomaat voor graaneters

Langs de rand van de bodem van een doorzichtige plastic bus (van cacaokorrels) snij je met een mes een paar gaten van 1,5 cm. Als dak gebruik je een bloempot, als bodem een plastic deksel met een doorsnee van circa 20 cm. De voederautomaat wordt op een paal geschroefd (A) of aan een draad opgehangen (B). Met één vulling van verschillende granen kunnen mezen en vinken enkele dagen gevoederd worden.

Voor lijsters en roodborstjes die zacht voer eten, strooi je in kokosolie gedrenkte havervlokken, gedroogde wilde bessen en restjes fruit. Zolang de aarde hard is, moet je de vogels voeren.

Hoe watervogels zich beschermen tegen de kou

Het is verwonderlijk dat eenden, net als andere watervogels, het urenlang uithouden in ijskoud water. Met hun snavel drukken zij uit hun stuitklier, die boven de staart ligt, een talgachtig vet, verdelen dat over hun veren en maken ze zo waterafstotend. Kijk maar eens goed: waterdruppels rollen van de veren af zonder ze nat te maken. Tussen de wollige donsveertjes onder de waterafstotende dekveren zit warme lucht die het lichaam van de vogel tegen de kou isoleert en hem tegelijkertijd als een zwemvest boven water houdt.

In de scherpe, ijskoude wind die langs het strand kan waaien, zie je duizenden meeuwen op het ijs en aan de Wadden bijeen. Vreemd genoeg echter staan alle vogels als op commando met hun snavel precies tegen de wind in. Hoe is deze houding te verklaren? Door zijn gestroomlijnde vorm biedt het lichaam van de vogel niet de geringste weerstand aan de van voren komende wind (A). Daarentegen zou een scherpe zijwind of een harde wind van achteren de vogel om kunnen gooien, de dekveren zouden als een paraplu openklappen waardoor de warme lucht daaronder wegwaaide.

Slaaphouding van de vogels

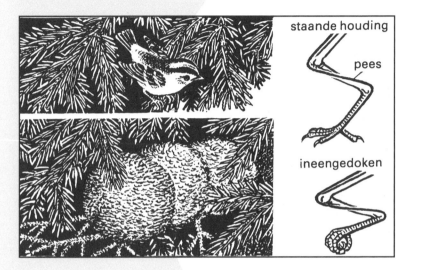

staande houding

pees

ineengedoken

Net als de meeste vogels slapen de goudhaantjes, onze kleinste vogels, in de bomen. Ze slapen met meerdere tegelijk dicht tegen elkaar aan en zien er met hun opgezette veren net uit als grote wattenbollen. Maar waarom vallen ze nooit van de tak als het heel hard waait? Alle vogels die grijptenen hebben, houden zich niet door spierkracht vast als ze zitten. Zo gauw een vogel van een staande houding ineen duikt, wordt de pees gespannen die over de knie loopt waardoor de tenen automatisch samentrekken. Als je een vogel op je vinger laat zitten, kun je dit duidelijk zien.

Warmte door beweging

Uit een bijenkast of een holle boom kun je 's winters soms een luid zoemen horen komen. Hoe harder het vriest, des te harder het zoemen. De bijen kruipen dicht tegen hun koningin aan, snorren met hun vleugels en reiken het voedsel uit de voorraadraten van mond tot mond. Net als mensen die bij koud weer het warmer proberen te krijgen door bepaalde bewegingen te maken, doen de bijen dat ook. De bewegingen van de spieren bij het slaan van hun vleugels veroorzaken een verhoogde stofwisseling, waarbij zoveel warmte ontstaat dat de temperatuur in een bij-enkast tot 30° kan stijgen en zelfs bij strenge vorst nooit beneden de 12° komt.

Citroenvlinder in de sneeuw

Al vroeg in de herfst zoeken de dag-pauwoog en de kleine vos een slaap-plaats voor de winter. Op vlieringen, in kelders of konijnenholletjes zitten ze onbeweeglijk, hun voelsprieten tussen de vleugels. Citroenvlinders daarente-gen overwinteren buiten, dikwijls door sneeuw en ijs ingesloten en door de vorst zo stijf geworden als glas. Het is een wonder dat ze in maart weer tot leven komen! Dan dartelen ze rond in de zon met hun dikwijls afgesleten vleugels en leggen al gauw eieren waar-uit zich tot juli nieuwe vlinders ontwik-kelen.

Als je in de winter de sneeuw van de dikke laag bladeren onder de bomen weghaalt en de laag openkrabt, vind je in de flink verrotte onderste laag bladeren hele nesten witte maden en andere soorten larven. Deze levende wezens zijn tegen de vorst beschermd door de sneeuw en de losse lagen bladeren en houden een bepaalde warmte, die bij verrotting van het loof ontstaat. Doe wat vochtige bladeren met een paar larven in een afgesloten inmaakpot in een warme kamer, dan kun je al in de winter zien welke insecten zich uit de larven ontwikkelen.

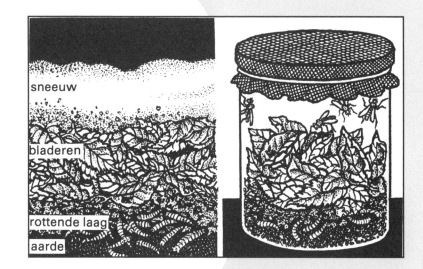

sneeuw

bladeren

rottende laag

aarde

Een vlieg in de winter

Een dode vlieg tegen de muur, die meestal alleen met zijn zuigsnuit vastzit en eruitziet alsof hij met wit poeder is bestrooid, is het slachtoffer van een schimmelziekte waaraan iedere herfst hele zwermen vliegen te gronde gaan. Een bepaalde schimmel, die door zijn sporen van vlieg tot vlieg gaat, verteert de insecten van binnen door zijn zwamvlok. Alleen een paar vrouwtjes blijven in leven en overwinteren onopgemerkt in huis. Maar elk van hen afzonderlijk zorgt voor nieuwe zwermen van miljarden vliegen, die zich uit hun eitjes vele generaties lang gedurende een zomer ontwikkelen.

Een bezoeker op de kale eik

Een insect zonder vleugels, dat lijkt op een mier, werkt zich ondanks ijs en sneeuw tussen de boomwortels door uit de bevroren grond en kruipt omhoog langs de stam van de eik. Het is het vrouwtje van een soort eikengalwesp. Met veel moeite boort ze boven in de takken een gat in een met een ijslaagje bedekte knop om daarin haar eieren te leggen. In het voorjaar woekeren de knoppen tot bruine, klompvormige galappelzwammetjes. Als je later een van deze vormen opensnijdt, dan vind je daar in veel kamertjes larfjes die uit de eieren zijn gekropen die de galwesp daar midden in de winter in heeft gelegd.

Bruidsvlucht in de winter

In de tijd voor kerstmis zie je nacht-vlinders als sneeuwvlokken door de donkere tuinen spoken en om de lampen dansen. De mannetjes van de vorstspanners (A), gelige en bruinige, tot 4 cm grote vlinders, gaan voor de verlichte ramen zitten. Ondanks vorst en sneeuw zijn zij in deze late tijd van het jaar op hun bruidsvlucht. De vrouwtjes (B) wachten op de stam van fruitbomen. Met hun vleugelstompjes kunnen ze niet vliegen. Ze kruipen in de uiteinden van de takken en leggen hun eieren tegen de knoppen, waar in het voorjaar groene rupsen uit kruipen.

Winterrust en winterslaap

Het eekhoorntje houdt in het koude jaargetijde winterrust in zijn met mos afgedekte nest van rijshout. Op sommige dagen drijft de honger hem uit zijn warme nest naar zijn voorraadplaatsen in nesten en boomholletjes, waarin hij in de herfst noten, beukennootjes en eikels heeft verstopt. In de sneeuw kun je dan zijn opvallende spoor van boom tot boom volgen. Het eekhoorntje houdt dus geen winterslaap zoals egels, marmotten, vleermuizen en slaapmuizen. De stofwisseling, hartslag en lichaamstemperatuur van deze dieren zijn in de winter sterk verminderd en hun lichamen zijn als het ware verstijfd.

Voorraadkamer van de dieren

In de schemering kun je vaak net nog zien hoe de stukjes brood, die je in de tuin gestrooid hebt, bewegen: een bosmuis haalt ze stuk voor stuk weg. In het bos loopt hij zelfs nog langs een stam behendig op en neer om eikels en beukennootjes in een verlaten spechtennest op te slaan. Gedreven door hun instinct leggen veel dieren voorraden aan voor tijden van nood. Dus niet alleen de hamsters hamsteren. Een bosmuis brengt wel meteen zo'n kilo of vijftig veldgewassen naar zijn hol, sorteert zijn schatten, sluit de uitgangen af tegen smeltwater en begint aan de winterslaap.

Het kan gebeuren dat een egel bij erg strenge vorst uit zijn winterslaap ontwaakt en op zoek is gegaan naar een beschutte schuilhoek. Zo'n dier zou je kunnen helpen door hem mee naar huis te nemen, maar bedenk dat de egel tot de beschermde dieren behoort. Je kunt daarom beter eerst aan iemand van de natuurwacht vragen of je er wel verstandig aan doet om hem mee te nemen.

Gedurende enkele dagen voer je hem overvloedig met rauw gehakt, ei, melk en fruit en vervolgens zet je hem in een kist vol bladeren in een vorstvrije ruimte (de temperatuur mag niet boven de 8° komen) waar hij kan overwinteren.

De egel is een beschermd dier

Haas of konijn?

wild konijntje

haas

Ofschoon een haas makkelijk van een konijntje is te onderscheiden door zijn grotere lijf, zijn langere oren en lange achterpoten, is het niet altijd duidelijk welk van de beide dieren juist voor je weghuppelt. Er is echter een heel duidelijk herkenningsteken: bij een konijntje dat loopt, wipt de staart aldoor op en neer en de witte onderkant is al van verre te zien. De haas daarentegen beweegt zijn staart nauwelijks als hij loopt. Hij drukt hem juist naar beneden, misschien uit een soort instinctieve angst dat de witte onderkant hem zou kunnen verraden.

Rijp aan het konijnenhol

Het konijn slaapt overdag in zijn hol, dat hij tegen een zonnig heuveltje heeft gegraven. Bij vorst kun je zien of een konijnenhol bewoond is. Bij de ingang van het hol en op planten direct daarvoor is dan wat rijp te zien. Het is afkomstig van de warme adem van de dieren waardoor vocht ontstaat, dat in aanraking met de koude lucht neerslaat en bevriest. In de tuin en op het veld vind je dikwijls kleine konijnengaten. Ze worden gegraven door dieren die op zoek zijn naar zachte wortels en niet om er een hol van te maken.

Truc van de haas

Wie het spoor van een haas in de sneeuw volgt, verbaast zich er wel eens over dat het plotseling ergens ophoudt. Om vossen en honden, die hem met hun scherpe neus achtervolgen, op een dwaalspoor te brengen, is de haas zo'n vijftig meter in zijn spoor teruggelopen. Vervolgens heeft hij een reuzensprong van enkele meters zijwaarts gemaakt en is in een andere richting verder gehuppeld. Deze truc haalt de haas meestal uit, in de winter en in de andere jaargetijden, als hij zijn 'leger' opzoekt, een ondiepe kuil in de grond waarin hij zich overdag verborgen houdt voor zijn vijanden.

Schuilplaats onder de sneeuw

Op plaatsen die een beetje tegen de wind beschermd zijn, maakt de haas verschillende 'legers' die hij afwisselend opzoekt. In zo'n ondiepe kuil rust hij overdag, met zijn neus tegen de wind in. Zijn iets vooruitstaande ogen zorgen ervoor dat hij ver om zich heen kan kijken (pijlen) en zijn oren die plat tegen zijn lijf liggen vangen het minste geluid op. De haas laat zich dikwijls insneeuwen. Hij is dan net als een eskimo door het sneeuwdek tegen de vorst beschermd, en alleen een klein, door zijn adem gesmolten gat in de sneeuw, verraadt zijn schuilplaats. Overigens heeft de haas als hij slaapt zijn ogen dicht.

Vlucht tegen de berg op

De haas voelt zich zo zeker in zijn 'leger', dat hij de mensen tot op een paar passen naderbij laat komen voor hij de vlucht neemt. In een heuvelachtige streek rent de haas steeds bergopwaarts. Omdat zijn achterpoten in vergelijking met zijn voorpoten bijzonder lang en gespierd zijn, kan hij bergopwaarts heel snel vooruitkomen. Vergeleken met vossen en honden, waarvan de voor- en achterpoten even lang zijn, is hij dus in het voordeel. Bovendien heeft de haas door de bijzondere buigzaamheid van zijn wervelkolom de mogelijkheid om in een sprong een zijsprong te maken om zo zijn achtervolgers kwijt te raken.

Bruiloft van de hazen

In februari vieren de hazen bruilofts-
feest. Zonder hun gewone schuwheid
verzamelen vele mannetjes zich dikwijls
op een grote bruiloftswei en daar dingen zij naar de gunst van een paar
vrouwtjes. Terwijl die gelaten toekijken,
zitten de mannetjes elkaar wild achterna. Het komt tot een tweekamp tussen
de rivalen. Ze gaan op hun achterpoten
staan, trommelen elkaar met de voorpoten tegen de borst en bijten.
Achteraf kun je op zo'n plek bosjes
haar vinden die de dieren elkaar tijdens het gevecht hebben uitgerukt.
Overigens is de wintervacht van de
hazen twee keer zo dik als hun zomer-
vacht.

Een nestkastje voor mezen

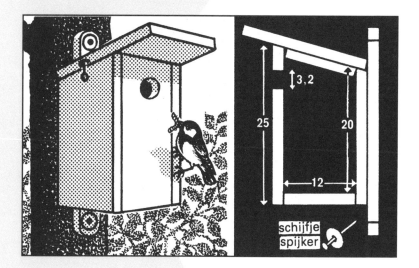

schijfje
spijker

Wie in het voorjaar een nestelend mezenpaartje in de tuin wil hebben, moet al in de herfst voor een nestkastje zorgen. De vogels kunnen er dan in de winter in schuilen en er tot aan de broedtijd vast aan wennen. Je bouwt het kastje volgens de aangegeven maten en gebruikt daar ongeveer 2 cm dikke plankjes voor. Het moet ongeschaafd hout zijn, zodat de jonge mezen zich aan de wanden vast kunnen grijpen. Het dak maak je met haakjes of draad zo vast dat je het er makkelijk af kunt nemen om oude nesten te verwijderen (gewoonlijk doe je dat in de winter). Je hangt het kastje op een hoogte van ongeveer 3 m met het vlieggat naar het zuidoosten gericht.

Een vogelholletje bij het raam

Het roodstaartje, kwikstaartje en de vliegenvanger geven de voorkeur aan een halfopen nestkastje, en dat maak je dan weer van 2 cm dikke plankjes. De plaats voor het nest moet 12 x 12 cm groot zijn en een afdakje zorgt voor bescherming tegen de regen. Aan de achterkant wordt een latje vastgemaakt zodat je het kastje ergens tegenaan kunt spijkeren. Hang dit vogelholletje ongeveer 3 m hoog tegen een muur of een boom. Richt het vlieggat weer naar het zuidoosten. Om katten hun weg naar het nest te versperren, snijd je een blik waaiervormig open en bevestig dat om de stam van de boom.

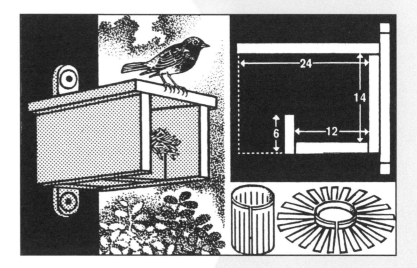

Hulp voor in de natuur broedende vogels

Vogels die niet in nestkastjes trekken, zoals de lijsters en de vinken, moedig je aan om een nest te bouwen in een bundeltje rijshout dat je met draad aan een boomstam bevestig (A), of in de takken van een struik die je bij elkaar gebonden hebt (B). Andere vogels geven de voorkeur aan twee schuin onder de dakgoot gespijkerde plankjes (C). Boerenzwaluwen nestelen graag ergens binnen en hebben een nestoppervlak van 12 x 12 cm nodig, 10 cm onder het dak of plafond (D). Voor huiszwaluwen spijker je een stuk kippengaas vlak onder het uitstekende dak vast en rol het aan de onderkant een beetje op (E).

Een natuurwet

Een jonge vogel, die je soms onder een nest vindt, hoeft er niet uitgevallen te zijn. Niet uit gebrek aan voedsel wordt een jong dikwijls uit het nest gegooid, maar omdat hij ziek of zelfs al dood in het nest was. Gezonde jongen sperren bij het naderen van de ouders instinctief hun snavels wijd open, omdat ze nooit genoeg hebben ondanks de enorme ijver van de oude vogels, die altijd op zoek zijn naar voedsel. Blijft het 'sperren' bij een van de nestelingen achterwege, dan is dat voor de ouders een teken dat het betreffende jong niet meer levensvatbaar of zelfs al dood is. Ter bescherming en tot welzijn van de andere jongen wordt hij uit het nest gewerkt.

Blinkende bal tegen eksters

Een glinsterende kerstboombal, van boven waterdicht gemaakt met velpon, die je ophangt op een open plek in de tuin, houdt de ekster weg van de nesten van zangvogels. Hoe verklaar je dat? Het scherpe oog van de ekster is instinctief ingesteld op eironde, glanzende dingen. In zijn begerigheid naar zangvogeleieren neemt hij, zoals we weten, ook andere ronde, blinkende voorwerpen mee. Hij ziet dus ook de kerstboombal niet over het hoofd. Omdat de felle zonnestralen die de bal weerkaatst, de vogel echter tot in alle hoeken van de tuin achtervolgen, raakt hij geïrriteerd en vliegt weg.

Gevaarlijk spiegelbeeld

Hoe meer een huis door groen wordt omgeven, des te vaker vliegen er vogels tegen de ramen. Vooral aan de schaduwkant is het spiegelbeeld van de door de zon beschenen omgeving op de ruiten zo echt dat de dieren het gevaar niet in de gaten hebben. Verongelukte vogels breng je in veiligheid voor katten. Dikwijls worden ze weer beter. Om de vogels voor het gevaar te waarschuwen, kun je een gekleurd lint, dat fladdert in de wind, aan het raam bevestigen. Nog beter helpt het silhouet van een vliegende roofvogel dat je uit zwart plakplastic knipt en buiten tegen de ruit plakt.

Kunstmatige bevloeiing

Planten nemen door hun wortels water op en scheiden het door de bladeren grotendeels weer af. Zet je een fles met water op zijn kop in een plantenbak, dan geef je de planten water en kun je tegelijkertijd hun waterverbruik controleren. Er loopt net zo lang water uit de fles tot de aarde rondom doornat is. Pas als de planten zoveel vocht opgenomen hebben dat door de aarde lucht in de fles kan komen, loopt er opnieuw water uit. Dat verraden de luchtbelletjes die in de fles opstijgen. Met warme dagen zijn dat er meer dan met koude dagen.

Als het langere tijd achter elkaar regent, barsten de rijpe kersen aan de boom. Hetzelfde gebeurt als je kersen in het water legt. Door de fijne poriën in het velletje dringt water naar binnen, terwijl het dikke vloeibare, suikerhoudende sap niet naar buiten vloeit. Het binnendringende water verdunt dus het sap, waardoor de druk in de cellen van de vrucht stijgt tot ze ten slotte springen. Het stromen van vloeistoffen door celwanden heen noemen we osmose. De opname van water door het plantenweefsel van de wortels tot aan de bladeren werkt volgens hetzelfde proces.

Stabiliteit door druk

Zet je een paardenbloem, waarvan je de steel in de lengte kruiselings hebt ingesneden, in water, dan rollen de uiteinden van de stelen als een spiraal samen. Hoe komt dat? De sponsachtige cellen in de binnenste laag van de steel dijen sterk uit door de opname van het water. In het stuk steel dat niet gespleten is wordt dat verhinderd door de stevige buitenste cellaag. De hoge druk die zo tussen de binnenste en buitenste cellaag bestaat (vergelijkbaar met een volgepompte binnenband in een buitenband van een fiets) geeft de steel van de paardenbloem zijn stevigheid.

Water uit berkenbladeren

Als je over een tak met bladeren van een berk een plastic zak vastbindt, zie je dat er zich vocht in verzamelt dat door talrijke microscopisch kleine poriën wordt afgescheiden en op het plastic neerslaat. Op een warme dag is de hoeveelheid water die uit die paar blaadjes is gewonnen heel opmerkelijk. Dit is echter in de van vocht verzadigde lucht in de zak bij lange na niet zo groot als in de droge lucht die de overige bladeren omgeeft. In de zomer kan een volgroeide berk tot 400 liter water afgeven dat hij met de wortels heeft opgenomen.

Natuurlijke gazonmest

Je ziet wel eens dat op het grasveld enkele opgerolde bladeren en droge grashalmen vreemd genoeg rechtop in de grond staan. Wie heeft dit gedaan? 's Nachts komen de regenwormen uit hun gangetjes zoeken naar verwelkte bladeren en grassprietjes die na het maaien zijn blijven liggen en trekken die mee de grond in. Nadat deze vergaan zijn, eten de regenwormen de plantenresten op en verwerken ze samen met wat aarde die ze door hun lijf meevoeren, tot kruimeltjes humus die rijk aan voedingsstoffen zijn. De bekende wormenhoopjes (A) bestaan uit deze stoffen.

Het instinct van de regenwormen

Steek je in de tuin een plankje schuin in de grond en trommel je daar zachtjes met je vingers op, dan komen rondom het plankje heel veel regenwormen de grond uit. Verlaten de dieren instinctief hun holletjes om een vermoedelijke rover, de mol te ontlopen? Of kruipen ze eruit omdat het trillen van de grond gewoonlijk door een regenbui wordt veroorzaakt? Het kan allebei waar zijn. Maar de regen lokt de wormen niet uit de grond, ze moeten wel weg omdat hun onderaardse gangetjes vol water komen te staan en ze zo niet genoeg lucht meer krijgen.

Natuurlijke bescherming

Een merel die zijn snavel in de grond steekt en een regenworm te pakken krijgt, probeert hem eruit te trekken. Maar de worm haakt zich in zijn gangetje vast met de harde haartjes die op zijn buik zitten. Wordt de worm in tweeën getrokken dan verdwijnt het stuk dat in het gangetje is achtergebleven in de grond. Zat toevallig de kop aan dit stuk dan blijft dat leven en wordt er een nieuw achtereind gevormd. In het voorjaar kun je dikwijls regenwormen zien met dikke, sinaasappelkleurige ringen. Vogels versmaden deze wormen omdat deze plek met de waarschuwingskleur niet alleen regenwormeieren in zich heeft maar ook een gevaarlijk gif.

Een mol, die niet altijd in de tuin
gewenst is, laat zich levend vangen. Je
zoekt een van zijn loopgangen met stevige, gladde wanden en graaft een min-
stens 25 cm hoog conservenblik zo in,
dat de loopgang net over de rand van
het blik loopt die met aarde is gecamoufleerd. Voor een lopende controle
dek je de bewuste plek af met een stenen tegel. De volgende morgen zit de
mol misschien al in het blik. Je laat het
dier met zijn fluweelzachte vel, zijn
pootjes als gravers en zijn nietige ogen
vrij op een terrein waar hij zich nuttig
kan maken door het verdelgen van
ongedierte.

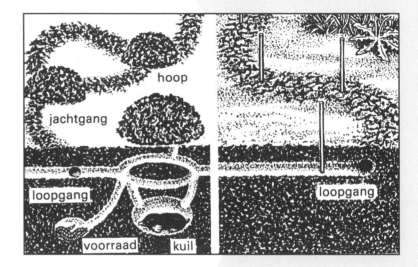

Uit het leven van een wijngaardslak

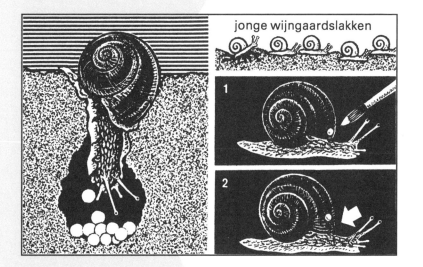

jonge wijngaardslakken

Deze slakken houden van schaduw en een vochtige omgeving tussen stenen en planten. In mei/juni graaft de wijngaardslak een gat van ongeveer 10 cm diep, legt daar zo'n 60 witte eieren in, zo groot als een erwt, en maakt het gat vervolgens weer dicht. Na vier weken kruipen de jongen te voorschijn met een doorzichtig huisje op hun rug. Het groeien van het slakkenhuis kun je zo volgen: met waterbestendige inkt zet je een stip op de rand van het huisje. Spoedig zie je groeiringen (pijl) die zich voor de stip gevormd hebben door kalkafscheidingen van het slakkenlichaam. De wijngaardslak behoort ook tot de beschermde dieren.

Uit talrijke klieren van zijn voeten scheidt de slak een slijm af waarin hij als het ware wegzwemt. Zelfs een scherp scheermesje kan hem door de goede smering geen kwaad doen. Bekijk je de slak door een stukje glas, dan zie je op zijn kruipzool gestreepte schaduwen die in een gelijk tempo van achteren naar voren gaan. Ze ontstaan door het golvende samentrekken van de spieren, waarbij voortdurend een deel van de voet achter vooruit wordt getrokken en voor vooruit geschoven. Het tempo van de wijngaardslak is 12 cm per minuut.

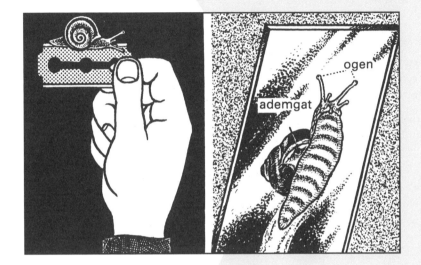

Glinsterende sporen in de tuin

Het slijm waarmee de slak zich over heg en steg een weg baant, droogt op in de zon en glinstert als heel dun cellofaan. Ook het dunne vlies waarmee de slak zijn huis afsluit om daarin beschermd te zijn tegen droogte bestaat uit slijm. Het slijm dient echter ook als een verdedigingsmiddel: kruist de wijngaardslak een mierenpad, dan wordt hij door de mieren gepakt. Tevergeefs! Door zijn ademgat perst hij lucht uit zijn longen en blaast het taaie schuim op tot een wal van ondoordringbare belletjes waarachter hij zich terugtrekt.

Zoet slakkenvoedsel

Zet je slakken op de binnenkant van een verse bananenschil, dan beginnen ze direct te eten. Met hun tong, die als een rasp met duizenden fijne, naar achteren gerichte tandjes is bezet, raspen ze de witte laag van de schil af. Behalve allerlei zachte blaadjes eten slakken heel graag zoete plantendelen. De kleine, geelgrijze veldslakken eten 's nachts in de tuin van de groente en bessen. Omdat zij geen huisjes hebben die hen beschermen, verstoppen zij zich overdag. Je kunt ze lokken door aardappelschillen onder een dakpan te leggen.

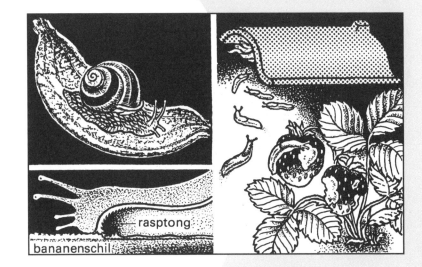

rasptong

bananenschil

Bonte slakkenhuisjes

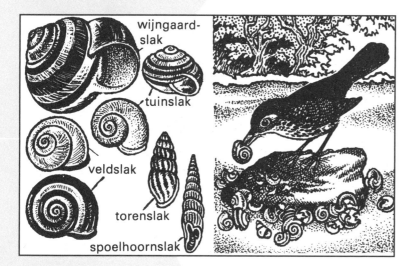

wijngaard-
slak

tuinslak

veldslak

torenslak

spoelhoornslak

Wie de huisjes van aardslakken verzamelt en sorteert, zal er zich over verba-
zen hoeveel soorten, vormen en kleuren er zijn. Van bovenaf gezien hebben
de meeste soorten krommingen naar
rechts. Soms echter kun je tussen de
soorten met een kromming naar rechts
een exemplaar ontdekken dat door
mutatie (verandering van de erfelijke
kentekens) een huisje met krommingen
naar links heeft gekregen. Een zeldzaam en waardevol bezit in de verzameling! Vaak vind je een hoop opengepik-
te slakkenhuisjes rond een steen. De
zanglijster heeft dan huisgehouden; hij
pikt de schalen open en verorbert het
vlees.

Vijanden van de bladluizen

Hoe nuttig de lieveheersbeestjes met de zeven stippeltjes zijn, merk je als je zo'n beestje op een blad vol bladluis zet. In een oogwenk heeft hij enkele luizen opgegeten en hij laat zich daarbij ook niet verjagen door de mieren, die de bladluizen door hun zoete afscheiding melken als koeien. Ook de lilakleurige, zwart en geel gestippelde larve van het lieveheersbeestje (A) voedt zich met bladluizen. Als je een takje met een pop (B) in een potje zet, kun je bekijken hoe een lieveheersbeestje uit de cocon kruipt. Het beestje snoept graag van een vochtig gemaakt suikerklontje.

Mierenhoop in een weckfles

nylonkous

papier

elastiek glazen buisje mos

Wie een poosje mieren wil bekijken kan wat kleine veldmieren uitgraven, die je dikwijls in de tuin onder wat stenen vindt. Doe het nest met de omringende aarde voorzichtig in een weckfles, sluit de fles af met een stuk nylonkous en verduister de onderkant met papier. Neem je dit papier van tijd tot tijd weg, dan kun je de bouw van onderaardse gangen en het verzorgen van de larven en de poppen volgen. Je voert de mieren met stukjes fruit, suiker en dode insecten. Op een tak brengen zij met hun voelsprieten bladluizen aan het trillen om hun zoete uitscheiding te drinken.

Op weidebloemen, vooral op de koekoeksbloem en de pinksterbloem, zie je dikwijls hoopjes wit schuim. Onderzoek je dit 'koekoeksspeeksel', dan ontdek je binnenin, beschermd tegen roofinsecten, vogels en zon, een kleine larve (A). Hij heeft een gaatje in de steel van de plant geboord, mengt de inhoud met een bepaalde uitscheiding tot een soort zeepoplossing en brengt dit aan het schuimen door er lucht in te blazen. Zet je de larve op een andere koekoeksbloem dan bouwt hij een nieuw huis van schuim. Uit de larve ontstaat een op een sprinkhaan lijkend dier, het schuimbeestje (B).

Lichtsignaal van het glimwormpje

Alsof er duizend sterren stralen, zo fonkelt het op een warme juniavond in het vochtige gras in weide en bos. De vrouwtjes van de glimworm (A) keren hun lichtgevende onderkant naar boven en zwaaien ermee als een lantaarntje. De mannetjes (B) die niet zo sterk glanzen, herkennen het lichtpatroon en vliegen er op af. De lichtorganen van de glimworm bevatten twee chemicaliën, luciferine en luciferase. Door een verbinding van deze twee licht de eerste stof op: er ontstaat koud licht zonder warmtestralen. Pak je een wormpje op, dan dooft het licht onmiddellijk.

Broedcellen van bladknipsels

In rozenblaadjes en blaadjes van appelbomen zie je wel eens ronde en ovale
gaatjes. Hier is de behangersbij aan het
werk geweest. Met haar scherpe kaken
snijdt ze eerst ovale stukjes blad uit,
vliegt ermee weg en brengt ze naar
spleten in bomen of holle plantensten-
gels. Daar rolt ze verschillende van
deze bladstukjes samen tot een vinger-
hoedachtig hulsje. Ze vult dit met
honing en stuifmeel, legt er een ei
bovenop en sluit ten slotte het hulsje af
met een precies passend bladdekseltje.
Verschillende van zulke broedcellen
worden door de bij in deze schuilplaats
boven elkaar gezet.

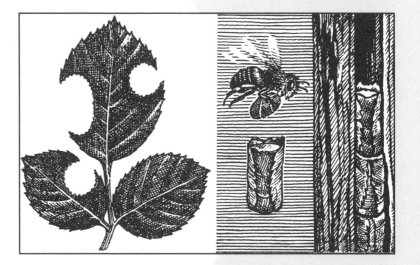

Bouwstof van de wespen

Wat veroorzaakt dat merkwaardige knabbelen en ritselen dat op een stille zomerdag uit het riet rond de vijver komt? Je denkt eerst aan muizen, maar ontdekt ten slotte dat hier wespen aan het werk zijn. Met hun kaken knagen ze aan de verdroogde bladeren van het riet en de lissen en kauwen de plantenvezels met hun speeksel fijn tot er een massa ontstaat die op papier lijkt. Van deze brij bouwen de wespen hun ronde nest in gaten in de grond, aan bomen en onder de daken. Van binnen worden in verschillende lagen de raten met het broedsel opgehangen.

Overal in het gras zie je wolfsspinnen op insecten jagen. Ze maken geen web. Ze lopen en huppelen snel heen en weer en tussen de bedrijven door zonnen ze op stenen en bladeren. In de vroege zomer dragen de vrouwtjes hun eiercocon met zich mee, een wit bolletje, zo groot als een erwt, dat zij om de eieren hebben gesponnen. Pak je de cocon van een spin af, dan loopt ze opgewonden heen en weer, op zoek naar haar ei. Als een andere spin het eierpakketje heeft geroofd, dan ontstaat er een bittere strijd. De jonge spinnen verdedigt ze net zo vasthoudend. Ze neemt ze allemaal op haar rug en voedt ze onderweg.

Op de spies gestoken buit

Als je op de doornen van een haag allerlei gedierte gespietst ziet zoals kevers, sprinkhanen, muizen en kikkers, dan hoef je de dader niet ver te zoeken. Hij zit hoog op een struik en loert alweer op een nieuwe buit. Het is de klauwier, een zangvogel met een blauwgrijze kop en een roestbruine rug, die zich als een roofvogel gedraagt. De doodgemaakte dieren spietst hij op de doornen om ze makkelijker te kunnen verscheuren en om de harde schalen van de insecten beter te kunnen verwijderen. Een deel van de buit wordt door de klauwier bewaard voor dagen waarop de vangst gering is, maar dit deel wordt bijna nooit opgegeten.

Gaten voor palen langs velden en weilanden zijn ware valkuilen voor dieren,
als zij enige tijd open blijven voordat
de omheining wordt geplaatst. Wie
zulke kuilen onderzoekt, zal er een hele
verzameling beesten in vinden. Kikkers,
padden en spitsmuizen vallen in de
gaten op hun nachtelijke strooptocht
naar slakken, wormen en insecten, net
als de loopkevers die niet vliegen of
klimmen kunnen. Zelfs jonge vogels
komen in de gaten terecht en kunnen
er niet meer uit. Je moet de dieren
bevrijden, dit is meteen een mooie
gelegenheid om ze eens goed te bekijken. Dek de gaten zoveel mogelijk af.

Padden en groene kikkers zijn beschermd.

Een karavaan van spitsmuizen

Spitsmuizen zijn beschermd.

Als je een spitsmuis met haar jongen in het gras verrast, moet je eens opletten wat een merkwaardige houding de dieren aannemen. Omdat ze denken dat ze in gevaar zijn, bijt een van de jongen zich in het achterlijf van de moeder vast en de anderen houden zich op dezelfde manier aan elkaar vast. Zo brengt de spitsmuizenfamilie zich als een karavaan in veiligheid. Een spitsmuis verorbert dagelijks één keer haar lichaamsgewicht aan insecten, wormen, slakken en ander gedierte. En de behoefte aan voedsel van de jongen daar nog bij, dwingt ze dag en nacht samen op jacht te gaan.

Bescherming voor kleine hazen

Wie een keer een of meer jonge hazen schijnbaar verlaten op het veld vindt, mag ze nooit oppakken! De moeder- haas komt regelmatig drie keer per dag om de jongen te zogen, de lucht van mensen zou haar echter verdrijven. Jonge hazen, evenals pasgeboren die- ren van andere haarwildsoorten, heb- ben geen eigen geur. Het is daarom voor de vos onmogelijk ze te ruiken. Om geen risico's te nemen, zet de moe- derhaas haar jongen graag op een veld met verse stalmest. De scherpe geur van de mest verdoezelt de geur van haar eigen spoor en de bruine kleur camoufleert de jongen uitstekend.

De kinderkamer van de wilde konijntjes

Te makkelijk stuit een hond die in de aarde naar een denkbeeldige muis graaft, op wilde konijntjes! Moeder konijn brengt haar jongen niet in de wijdvertakte, onderaardse bouwsels ter wereld, waar ze bedreigd zouden worden door marter, bunzing en wezel. Ze baart ze in een buis die slechts een halve meter diep is en die ze horizontaal in een helling heeft gegraven. Het holletje bekleedt ze met haar eigen haar. De toegang sluit ze af met aarde. Alleen in de ochtend- en avondschemering krabt ze de ingang even open om de jongen te zogen, die in het begin nog blind en volslagen hulpeloos zijn.

Groene plekken op het weiland

Op veel weilanden waar vee graast, hebben de koeien 's zomers het gras tot op de wortels afgevreten. Maar hier en daar zie je weelderige plekken van sappig groen gras dat de dieren niet aangeraakt hebben. 'Zelfs als ze honger hebben, mijden de koeien het gras dat op hun eigen mest is gegroeid,' zegt de boer. In feite is daar waar in het voorjaar verschillende koeienhopen bij elkaar lagen, het fijne voedergras achteruit gegaan door de buitengewoon sterke bemesting. In plaats daarvan zijn er minderwaardige grassoorten hoog opgeschoten die de dieren niet lusten.

Ontluiken in vertraagd tempo

Op warme zomeravonden kun je het opengaan van de teunisbloemen meemaken die langs de akkers, bosranden en spoordijken nachtvlinders aantrekken. Zo tegen zonsondergang let je op een knop waarvan de groene kelkbladen al een beetje geopend zijn (1). Opeens gaat die verder open: terwijl je kijkt ontvouwen de schitterende zwavelgele bloemblaadjes zich en ten slotte klappen de kelkblaadjes met een ruk naar achteren (2). Dit speelt zich allemaal binnen 3 minuten af. De avond daarop zijn deze bloemen al bijna verwelkt en gaan er alweer nieuwe open.

Waardoor begint je huid te jeuken als je een brandnetel hebt aangeraakt? De bladeren en stengels van deze planten zijn bedekt met brandhaartjes. Ieder brandhaartje is een plantencel en bestaat uit een buisje waarvan het puntje zo bros is als glas. Aan de onderkant zit een elastisch blaasje (A). Het is helemaal gevuld met een giftig, mierenzuur houdend sap. Een brand-haartje lijkt dus op een pipet (rechts). Raak je het aan, dan breekt het puntje af en de druk die op het blaasje wordt uitgeoefend, sproeit het gif uit het scherpe puntje in je huid (B).

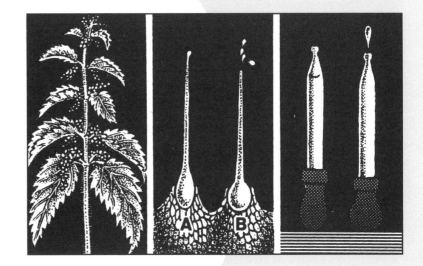

Kaas voor de zonnedauw

De zonnedauw is een beschermde plant.

Met glinsterende, zoet geurende druppeltjes aan de rode haartjes van zijn bladeren lokt de zonnedauw in het moeras kleine insecten. Zo gauw een diertje op de zogenaamde honing gaat zitten, is het gevangen. Haartjes en blad 'vangen' het en het wordt langzamerhand verteerd door een bijtend sap. Je kunt de zonnedauw ook voeden met vlees, kaas of een ei. Leg je hiervan hele kleine kruimeltjes op een blad, dan zijn ze na een dag of twee 'opgegeten'. Uit het dierlijke eiwit neemt de plant de opbouwstoffen die de voedingsarme moerasgrond niet geeft. Op broodkruimels reageert het plantje niet.

De goudgele, leeuwenbekachtige bloemen die uit het water van vijvers en sloten omhoog groeien, zijn van een merkwaardige plant; het blaasjeskruid, die kleine dieren in het water vangt. Omdat de plant geen wortels heeft, kun je hem in een potje met slootwater mee naar huis nemen. Het in fijne slipjes verdeelde blad onder water draagt blaasjes, de vangarmen van de plant. Ieder blaasje heeft een kleine toegangsklep. Als een watervlo of een ander klein waterdiertje er tegenaan stoot, gaat het klepje open, het diertje dwarrelt naar binnen en zit opgesloten. De plant verteert het en krijgt zo voedingsstoffen.

Zelfgebouwde microscoop

watervlo
cycloop-
kreeftje
schelp-
kreeft
muggenlarve
watermijt

Watervlooien en andere heel kleine levende wezens kun je door een druppelmicroscoop verschillende keren vergroot bekijken. Een rechthoekig gebogen reepje ijzer van een opbergmap maak je met plakband zo aan een omgekeerd glas vast, dat een gaatje 1 cm boven de bodem van het glas zit. Je zet een watervlo op het glas en tipt een druppel water als lens in het gaatje. Houd dan je oog er dichtbij en regel de scherpte door het reepje ijzer te buigen. Een spiegeltje op een kurk onder het glas, regelbaar door het glas te verschuiven, verheldert het beeld.

Wie water en eendenkroos uit een plas in het aquarium heeft, ontdekt misschien een ongeveer 2 cm groot zakvormig diertje met draadachtige vangarmen die hij als handschoenvingers kan instulpen. Het is de zoetwaterpoliep, een familielid van de zeeanemonen en de kwallen. Helaas kun je met het blote oog de netelkapsels niet zien, dit zijn heel kleine gifharpoenen waarmee hij op roofdieren schiet. Ze doden een watervlo (A). De vangarmen omvatten hem en stoppen hem in de mondopening (B). Bekijk ook eens hoe de poliep zich door knoppen vermeerdert.

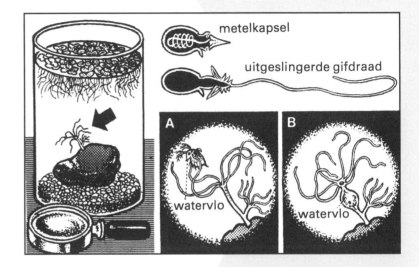

Huisjes van hout en steen

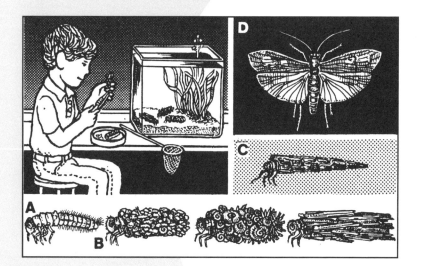

Hoe de larve van een kokerjuffer (schietmot), die we in vijvers en meren vinden, een nieuwe beschermingskoker maakt, kun je in een aquarium mooi bekijken. Met een pincet rafel je de koker voorzichtig uit elkaar. De onbeschermde larve (A) omgeeft zich met een fijn weefsel en plakt daar, meestal in de beschermende duisternis van de nacht, steentjes, kleine slakkenhuisjes en stukjes hout aan (B). Een ander soort spint kleine stukjes blad tot een zakvormig huisje, waarmee hij als in een kleine onderzeeboot door het aquarium zwemt (C). Kokerjuffers lijken op vlinders (D).

De geboorte van een libel

Een libellenlarve, die je 's zomers in een vijver kunt vangen, is een interessant studieobject in het aquarium. Een bijzonderheid is zijn 'vangmasker'. Heeft de larve met zijn grote ogen een prooi ontdekt (watermotten, kleine insecten en bloedzuigers), dan sluipt hij naderbij, slaat bliksemsnel zijn vangapparaat over het slachtoffer heen en brengt het naar zijn mond (A). Op een dag kruipt de larve langs een rietstengel, die je in het aquarium gezet hebt, omhoog, zijn omhulsel scheurt open en de glanzende libel wringt zich eruit (B). Het duurt nog 2 uur voor zijn vleugels hard zijn geworden (C) en hij weg kan vliegen.

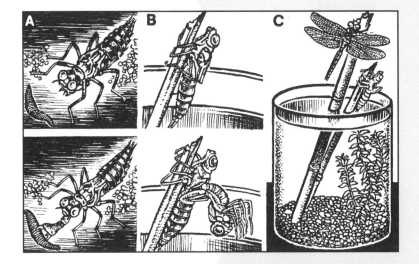

Rovers uit de plas

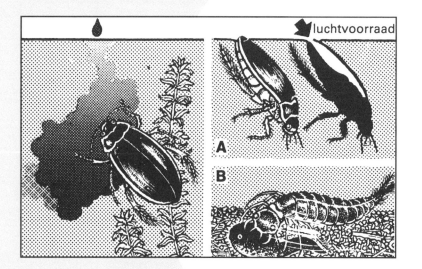

luchtvoorraad

In ons schepnet zit dikwijls een 4 cm grote, zwarte kever met een gele rand, de geelgerande watertor. Houd hem apart in een glazen pot, want hij eet niet alleen kleine diertjes, maar ook kikkervisjes en vissen. Druppel je een beetje met inkt gekleurde bouillon in het water, dan laat de kever zijn roofzuchtig instinct zien. In de wolk heen en weer zwaaiend probeert hij zijn vermoedelijke buit te pakken. Af en toe komt hij aan de oppervlakte van het water om lucht in een holle ruimte onder zijn vleugels te pompen (A). Zijn larve is een nog roofzuchtiger beest. Met zijn tangvormige kaken zuigt hij zijn prooi uit (B).

Kikkerteelt in de tuinvijver

Tuinvijvers kunnen de broedplaatsen voor kikkers en padden vervangen, die in de vrije natuur dikwijls verloren zijn gegaan door watervervuiling en bodemcultivering. Al in maart paren de groene kikvorsen in de vijver. Ieder vrouwtje werpt ballen van ongeveer 4000 eieren af. Na 3 weken komen daar de kikkervisjes uit. Met hun hoorntandjes knabbelen ze aan kikker-dril en algen. Omdat er in een kleine vijver niet voldoende natuurlijk voedsel is, strooi je goudvissenvoer naar behoefte en later vleesafval. Met honderden tegelijk knagen de kikkervisjes aan een stukje vlees.

Bescherming voor het kikkerbroedsel

Omdat merels graag kikkervisjes uit de vijver in de tuin halen, zorg je voor wat repen aluminiumfolie langs de rand van het water om de vogels daarvandaan te houden. De kleine kikkertjes kruipen in de vroege zomer uit de vijver en zwerven door de tuin waar ze door vogels en egels worden gevangen, of in grasmaaimachines, keldergaten en gaten van waslijnpalen terechtkomen. Om dat te voorkomen sluit je de vijver af met loodrecht neergezette plankjes, repen plastic golfplaat of iets dergelijks. Verzamel de dieren in een glazen pot en geef ze elders de vrijheid, liefst in de buurt van een schone en heldere sloot.

Bij het kwaken doen de kikkers niet hun bek open, maar zij stoten lucht door de neusgaten. De keelblazen, die de waterkikkers bij de wangen hebben zitten en de groene kikvors en de boomkikvors bij de keel, versterken het geluid dat enigszins lijkt op het geluid dat je krijgt als je met je vingers over een strak opgeblazen ballon strijkt. De waterkikker (A) begint als het 's avonds wat stiller wordt met 'moarks-moarks', waarna een aanhoudend 'brekke-brek-kebrekke' De groene kikvors (B) laat slechts een zacht gebrom horen. De boomkikvors (C) zit in het struikgewas langs het water en laat een schel 'epp-epp-epp' klinken, dat op grote afstand hoorbaar is.

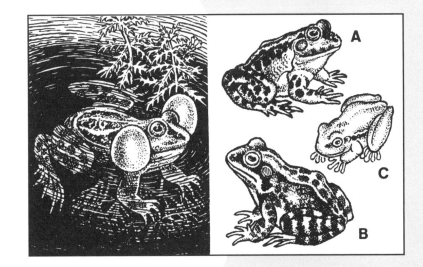

Verandering van ei naar kikker

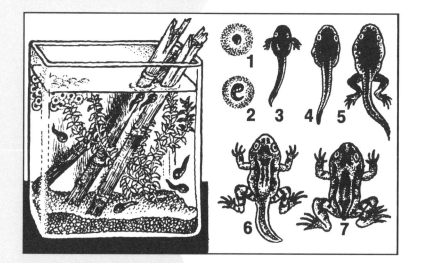

Wil je de ontwikkeling van kikkers goed volgen, dan doe je wat kikkerdril uit de vijver, die je aangelegd hebt, in een aquarium met helder water uit de vijver en wat waterplanten. De kikkervisjes die uit de eieren komen hebben uitwendige kieuwen (3), later ademen ze door kieuwen die van binnen zitten. Je voedt ze met visvoer, watervlooien en stukjes vlees. Eerst zie je de achterpoten komen en dan de voorpoten, terwijl de staart langzaam maar zeker verdwijnt. Kleine kikkers halen adem door hun longen, kruipen uit het water en laat je vrij.

In een vijver, die rijk van bladplanten is voorzien, kun je een paar kleine water- kikkers en groene kikvorsen houden. Ze zonnebaden tussen de planten en springen naar insecten, spinnen, wor- men en slakken om ze met hun uitge- stoken, kleverige tong in hun bek te stoppen. Een vliegenval: een trechter van gaas, waar aan de onderkant stuk- ken uit zijn geknipt, wordt over een stukje rauwe vis gezet. Vliegen die daar op af komen vang je op in een plastic zak.

De geboorte van een salamander

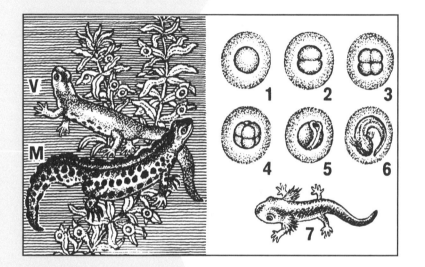

In het voorjaar dartelen de kleine vijversalamanders in het water. Het prachtig gekleurde mannetje maakt het vrouwtje druk het hof en deze zet haar eieren aan de waterplanten vast. Een eicel verdeelt zich binnen 3 uur in 2 cellen, daarna al gauw in 4, 8, 16, enz. Het ei ontwikkelt zich tot een larve die, nadat hij uit het ei gekropen is, bundeltjes uitwendige kieuwen krijgt waardoor hij ademt. Later verdwijnen deze weer omdat een salamander door een long ademt. Je voert de beestjes met watervlooien en muggenlarven.

Een onderwatervergrootglas

Om dieren en planten onder water duidelijk en vergroot te kunnen bekijken, zonder de gebruikelijke spiegeling en vervorming door de golfjes, heb je een kijkbuis nodig. Met een blikopener verwijder je de bodem van een grote blikken bus en dan maak je de opening waterdicht met doorzichtig plastic folie. Verwijder de scherpe randen aan de bovenkant. Houd je de kijkbuis loodrecht in het water, dan buigt de folie door de druk van het water iets naar binnen. Net als in een vergrootglas breken de lichtstralen aan de lensvormige oppervlakte waardoor de kijker een vergroot beeld van de wereld onder water krijgt.

Stekelbaarsjes in een aquarium

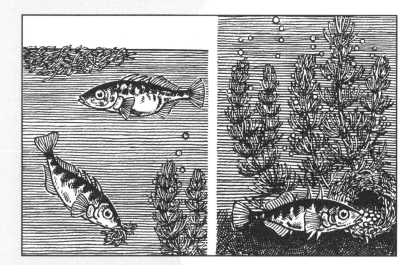

Fonkelende ogen, een glanzende rode buik en een blauwgroene rug heeft het mannetje van het driestekelige stekelbaarsje in het voorjaar. Wie een mannetje en twee of drie vrouwtjes in een aquarium met flink veel planten zet, kan zien hoe ze hun broedsel verzorgen. Graswortels die je in het water strooit, sleept het mannetje steeds in bosjes naar de bodem waar hij een nestje van bouwt. Nu lokt hij de vrouwtjes om kuit te schieten, bewaakt de eieren en zorgt voor fris water door met zijn staart te waaieren. Als een van de jongen, die na 10 dagen uit de eieren kruipen, het nest verlaat, haalt het stekelbaarsje hem in zijn bek terug.

Verdediging van het gebied

Woedend valt het stekelbaarsmannetje alles aan wat in de buurt van zijn nest komt. Zelfs de slak moet verdwijnen en de ingepakte larve van de kokerjuffer sleept het stekelbaarsje in zijn bek weg. Omdat hij zelfs zijn eigen vrouwtjes na het kuitschieten verdrijft, haal je hem uit het aquarium. Of het nou een fop-stekelbaarsje is, dat je van rode en blauwe klei maakt en aan een breipen gestoken in het water houdt, of een wilgenblad aan het eind van een dunne tak, het stekelbaarsje valt ze allebei aan. Trek je de tak door zijn gebied, dan bijt hij zich dikwijls in het blad vast en laat zich zo uit het water vissen.

De trek van de snoeken

In het voorjaar 'trekken' de snoeken: uit de meren zwemmen ze door rivieren en vaarten, over ondergelopen weilanden, naar de kleinste afvoergreppels om daar kuit te schieten. Op zonnige, helemaal dichtgegroeide plekken kun je ze alleen of met zijn tweeën zien staan. Ze keren zich altijd tegen de richting van de stroom in, omdat hun gestroomlijnde lijf dan de minste weerstand aan het water biedt. Als je heel voorzichtig dichterbij komt, kun je de snoek bijna met de hand pakken. Meestal echter is hij vlugger. Bliksemsnel schiet hij weg, stroomopwaarts en hij verduistert zijn weg door losgewoelde modder.

Een spar is makkelijk van een den te onderscheiden. (1) Naalden van een spar zijn een beetje vierkant en aan alle kanten groen, dennennaalden zijn breder en hebben aan de onderkant twee heldere strepen in de lengte. (2) Kale sparrentakken zijn ruw als een rasp, omdat na het afvallen van de naalden hun steeltjes aan de tak blijven zitten. De schijfvormige steeltjes van de dennennaalden daarentegen vallen mee af; kale dennentakken zijn daarom tamelijk glad. (3) Sparappels hangen aan de tak en vallen er onbeschadigd af. Dennenappels staan rechtop en verliezen hun schubben tot alleen de kale spil overblijft.

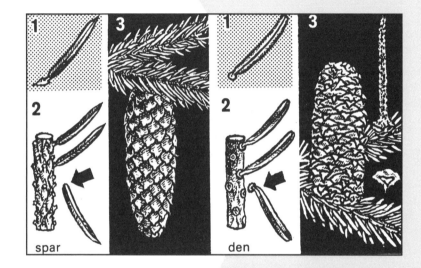

Bladeren verzamelen

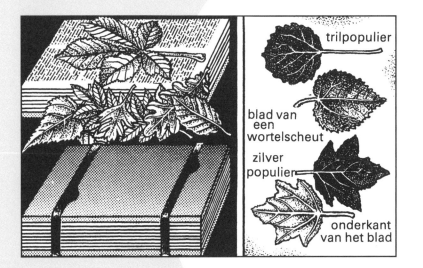

trilpopulier

blad van
een
wortelscheut

zilver
populier

onderkant
van het blad

Wie geperste planten wil verzamelen, moet misschien eerst eens met boombladeren beginnen. Voor een handzaam persje heb je twee platen hardboard of dun spaanplaat nodig en een vingerdikke laag van vellen tekenpapier met dezelfde omvang. Het geheel wordt bij elkaar gehouden door 3 inmaakringen. Nu ga je bladeren verzamelen van alle mogelijke bomen. Zoek naar een geschikte grootte en naar verschillende vormen en laat de bladeren ongeveer 14 dagen tussen de papierlagen van de pers drogen. Daarna worden ze overzichtelijk naar soort geordend, op schrijfpapier gelijmd en van de juiste naam voorzien.

De jaarringen op de kapsnede van een omgezaagde boom verraden niet alleen zijn leeftijd maar vertellen ook van goede en slechte tijden: brede ringen wijzen op jaren met veel zon en regen, smalle ringen op jaren met slechte groeivoorwaarden. Het heldere 'vroege hout' van een jaarring is in het voorjaar gegroeid en bestaat uit een zacht, waterleidend weefsel. Het gaat over in het steviger (door zijn fijne poriën) en donkerder 'late hout', dat in de zomer en de herfst is gegroeid voordat de boom zijn groei onderbrak voor de winterrust.

regenrijk jaar
droog jaar
vroeg hout
laat hout

Teken van licht

zuiden

Aan de stronk van een alleenstaande boom kun je duidelijk de verschillende hemelstreken zien: naar het zuiden toe zijn de jaarringen breder dan naar het noorden. Hoe is dat te verklaren? De groei van een boom wordt dermate begunstigd door licht en warmte, dat aan de kant van de zon de takken langer zijn, het loof weelderiger en de bloemen talrijker. Maar grotere takken hebben ook meer water en voedingsstoffen van de wortels nodig. Daarom vormt de boom in het zuidelijke gedeelte van de jaarringen bredere cellagen en daardoor meer leidingsbanen voor de watertoevoer.

Sabelgroei van de bomen

Hoe komt het dat bomen die op een steile helling staan dikwijls zo krom zijn gegroeid als een sabel? De vorm van de stammen verraadt dat hier een onmerkbare beweging van de grond aan de gang is. De bovenste aardlaag glijdt door regen en langsstromend water langzaam in de richting van het dal waardoor de jonge bomen heel geleidelijk aan kantelen. Maar omdat iedere plant er naar streeft loodrecht omhoog te groeien, buigt de stam dichtbij het aardoppervlak naar boven. De wortels gaan daarmee overeenstemmend loodrecht de aarde in. Pas als de boom een bepaalde grootte heeft bereikt, kan hij de beweging van de grond weerstaan.

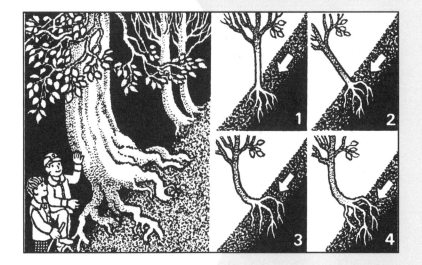

Leven in de holle wilgenboom

Ofschoon de stam van een wilgenboom dikwijls tot op een dun omhulsel na is weggerot, heeft hij nog groene bladeren. Ook als je van een tak een ringetje uit de bast snijdt (pijl) zonder het hout te raken, verwelken de bladeren niet. Je kunt daaruit opmaken dat het water met de voedingsstoffen dat door de wortels van de boom wordt opgenomen, niet door de binnenste houtlagen en ook niet door de bast naar de bladeren wordt geleid. Alleen in de buitenste houtlaag, in de jongste jaarringen, lopen de fijne leidingen waardoor het water omhoog gezogen wordt.

Wurgende ranken

De stam van een jonge boom waarlangs de ranken van een kamperfoelie omhoog kronkelen, ziet eruit als een kurkentrekker. Waardoor komen de duidelijke verdikkingen van de stam, die direct boven de ranken zitten die zich in de bast hebben gesneden? Omdat de houtachtig geworden ranken met het dikker worden van de stam niet meegeven, knijpen ze de sapstroom af die onmiddellijk onder de bast van boven naar onderen verloopt en die de door de bladeren aangemaakte opbouwstoffen van de boom vervoert. Deze opbouwstoffen worden dus opgestuwd over de insnoeringen heen en komen hier de celgroei van het hout en de bast ten goede.

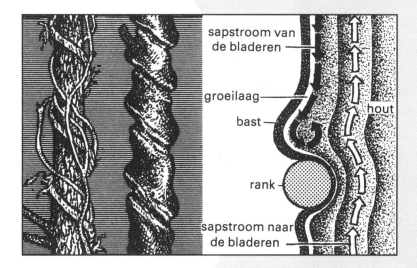

sapstroom van de bladeren

groeilaag

bast

hout

rank

sapstroom naar de bladeren

Bescherming tegen verrotting in eikenhout

kernhout

spinthout

Het is opvallend bij een stuk eikenhout dat het binnenste 'kernhout' donkerder is dan het buitenste 'spinthout' De donkere kleur ontstaat door looistoffen die zich in het kernhout hebben afgezet. Looistoffen beschermen tegen aantasting door bacteriën, paddenstoelen en insecten. Hoe donkerder het door het hout dus is, des te meer weerstand het heeft tegen verrotting. Vandaar dat eiken meer dan 1000 jaar oud kunnen worden. Desondanks verrotten ook zulke bomen langzaam maar zeker, als ze (bijv. door blikseminslag) beschadigd worden. Het zieke hout wordt helemaal weggesneden en de holle ruimte wordt opgevuld met beton om de stormen te trotseren.

Poppen in de zonneschijn

De witte, eivormige maaksels (C) die de mieren tussen hun kaken door de gangen naar buiten brengen, in de zon leggen en voortdurend omdraaien, worden ten onrechte voor miereneieren aangezien. Het zijn de poppen die zich uit de larven (B) hebben ontwikkeld, die op hun beurt weer uit de miereneieren (A) zijn gekomen. Larven en eieren worden in de mierenhoop van kamer naar kamer gedragen, opdat ze steeds in een voor hun ontwikkeling juiste temperatuur liggen. Als de zon daalt, halen de mieren de poppen naar binnen en ze sluiten voor de nacht de ingangen af tegen kou en vocht.

De wegen van de mieren

De wegen van de mieren, die vanaf de mierenhoop in alle richtingen diep het bos inlopen, zijn gemarkeerd door de speciale geur van het betreffende volkje. Met de reukorganen in hun naar beneden gebogen voelsprieten snuiven ze de geur en weten dan dat ze op hun eigen weg lopen. Strijk je met de hand over zo'n weg, dan raken de mieren in de war door de vreemde geur. Van heel ver, zelfs uit de toppen van de bomen, versjouwen ze dennennaalden, stukjes hout, rupsen, vlinders, zaden van planten en zelfs kevers, die honderd keer meer wegen dan zijzelf, naar hun hoop.

Omdat bosmieren in de verre omtrek de bomen vrijhouden van schadelijke insecten en planten, vergroot de boswachter hun bouwwerken. Maar dit lukt alleen bij de kleine rode bosmieren (6-7 mm), die in tegenstelling tot de grote bosmieren veel eierleggende koninginnen hebben. Als deze in het voorjaar aan het zonnebaden zijn, neemt de boswachter van een volkje een doos vol mieren en zet ze uit op een andere plek, op droge sparrentakken naast een vermolmde boomstronk. Daaroverheen schudt hij met suiker vermengde dennennaalden en nog wat takken. Door de boomstronk kunnen de diertjes de aarde binnendringen om hun nieuwe nest in orde te maken.

Vergroting van mierenhopen

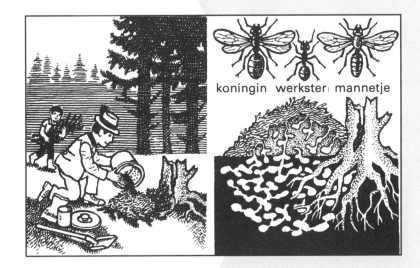

koningin werkster mannetje

Scheikunde bij een mierenhoop

Als je een paarsblauw bloempje, bijv. een grasklokje of campanula in de buurt van een mierenhoop houdt; besproeien de mieren het met een scherp geurende vloeistof die uit hun achterlijf komt. Waar de bloem door de druppeltjes wordt geraakt, kleurt zij rood. Waarom? Paarsblauwe, plantaardige kleurstoffen worden in een zure vloeistof rood, in loogachtige daarentegen blauw. In de scheikunde worden daarom zulke kleurstoffen gebruikt om zuren en logen te herkennen. In ons geval wordt de kleur van de bloem door mierenzuur veranderd. Dit vocht gebruikt de mier om zijn vijanden af te weren en zijn prooi te doden.

Vangkuilen in het zand

In het fijne, losse zand aan de rand van een dennenbos vind je soms een aantal heel kleine trechters. Iedere trechter is de vangkuil van een mierenleeuw die, begraven in de grond, op een prooi loert. Als een mier de rand van de trechter nadert, beschiet de mierenleeuw hem met zandkorreltjes tot hij zijn evenwicht verliest, hulpeloos in de diepte glijdt en tussen de kaken van de mierenleeuw wordt gekraakt. Zet je de rover in een kistje met droog, fijn zand, dan kun je zijn levensloop thuis verder volgen. Hij is de larve van een libelachtig insect, de mierenjuffer (A).

Geluiden uit de noot

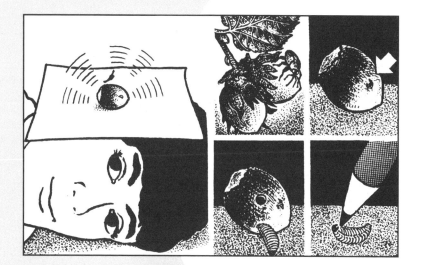

Een klein litteken op een nog onrijpe hazelnoot (pijl) laat iets zien van het werk van de hazelnootboorder. In het voorjaar heeft de kever met zijn snuit de zachte bast doorboord en een ei in de vrucht gelegd. Leg je een aangetaste noot op een velletje papier tegen je oor, dan kun je de schrapende eetgeluiden van de larve enorm versterkt horen. Hij verorbert de kern en snijdt in september een klein gaatje in de bast. Als je de larve met de punt van een potlood aanraakt, laat hij zijn scherpe kaken zien.

Gaten in hazelnootbasten

Verschillende knaagsporen aan hazelnoten verraden wie de smakelijke kern heeft opgegeten. Jonge eekhoorntjes knagen aan alle kanten van de bast tot deze openbreekt (A). Oudere, meer ervaren eekhoorns knabbelen alleen het puntige gedeelte eraf omdat de bast daar het dunst is (B) of ze kraken ze hier met hun sterke tanden (C). Eekhoorntjes knagen dikwijls een groef rondom de noot en kraken hem dan (D). Cirkelronde gaatjes met de sporen van fijne tandjes aan de rand zijn gemaakt door de bos-, brand- of hazelmuizen (E). De specht beitelt noten open, die hij tevoren in een boomspleet heeft gestoken (F).

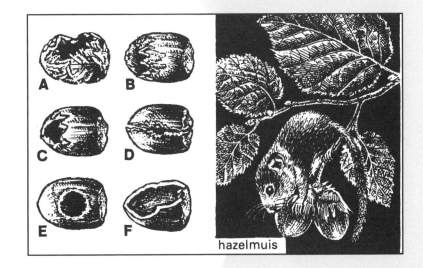

hazelmuis

Snavelsporen aan sparappels

Hele bergen dennen- en sparappels, die meestal alleen aan de punt stukgehakt zijn (A), hopen zich op rond een 'spechtsmederij'. Dat is een spleet in een boomstam of boomstronk waarin de specht de spar- of dennenappels, die hij van de bomen afrukt, als een klemhaak vastspietst om er met zijn snavel de oliehoudende zaden uit te bikken. Sparappels waarvan de schubben gespleten en stukgerafeld zijn, werden bewerkt door de kruisbek. Dit vogeltje zit ondersteboven tegen de sparappel aan, pikt met zijn kromme en gekruiste snavel onder de schubben en splijt ze in stukken.

Beknaagde sparappels

Door de takken van de bomen ritselen de schubben van de sparappels. Als je omhoog kijkt, zie je misschien wel ergens een eekhoorntje dat met zijn sterke tandjes juist aan een sparappel zit te knabbelen. Beurtelings rukt hij er de schubben af om bij de zaden te kunnen komen die eronder liggen. Ten slotte laat hij ook de spil van de sparappel, waar nog wat schubben aan de punt zijn overgebleven, op de grond vallen (A). Maar bosmuizen laten de spil van de sparappel helemaal kaalgevreten achter (B). Ze klimmen tot aan de uiterste punten van de takken waaraan de sparappels hangen.

Herkenningstekens in de bast

Niet alleen bij gebrek aan voedsel knagen de dieren aan de boombasten waardoor zij duidelijk sporen achterlaten op stammen en takken. Het edelhert rukt vooral van dennen, essen en beuken lange repen van de bast af (A), terwijl het damhert meer knabbelt aan de bast (B). Ook de haas scheurt flarden van zachte, groene basten af (C). Het wilde konijn daarentegen knaagt tot in het jonge hout, de sporen van zijn bovenste snijtanden zijn duidelijker dan die van de onderste (D). Het eekhoorntje schilt de bast af in een spiraalvorm (E) en de zevenslaper laat kleine kerfjes achter (F).

Het bad van de wilde zwijnen

Opvallend veel sporen van wilde zwijnen lopen naar een leemachtige waterplas in het bos, een zwijnenkuil. Hier baden de wilde zwijnen regelmatig in de schemering of tijdens hun nachtelijke omzwervingen (soms wel over een afstand van 40 km). Zij wentelen zich in de kuil om het ongedierte uit hun vacht kwijt te raken. Met het opgedroogde leem valt het eruit. Na het bad schuren de dieren urenlang hun vel tegen de met leem besmeurde 'wrijfpalen'. De boombast is helemaal doorgesleten en daar waar een wild zwijn zijn kop heeft geschuurd, hebben zijn enorme slagtanden schuine kerven achtergelaten.

Voedselresten van de uilen

Opeens sta je dan aan de rand van het bos of in een park voor een 'uilenboom'. Het is duidelijk te merken aan de kleine balletjes die eronder liggen, de maagpropjes van een uil. Misschien kun je in de boom een wouduil of een katuil ontdekken. Nadat hij 's nachts op jacht is geweest, zoekt de uil meestal dezelfde boom op, waar hij de dag slapend doorbrengt, dicht tegen de stam aangezeten. Het maagpropje bestaat uit de onverteerbare voedselresten die uilen, net als roofvogels, uitspugen. Als je de balletjes uit elkaar pluist, vind je er botjes van muizen en vogels, veren, haren en stukjes huid in.

Veren onder een haviksnest

Omdat de havik jarenlang hetzelfde nest in een hoge boom gebruikt en het voortdurend verbetert, wordt het een soort reuzennest. Hebben de jongen ten slotte niet meer genoeg schaduw van de boomkruin, dan steekt het vrouwtje van de havik groene takjes als zonnescherm in het nest. Het kleinere mannetje is onvermoeibaar op jacht en legt het buitgemaakte voedsel in de buurt van het nest, terwijl het vrouwtje steeds bij de jongen blijft en ze voedert. In deze weken ruien de vogels en verliezen zij al hun veren. Daarom kun je onder de boom allemaal veren van de havik vinden.

veer van de havik

Een verzameling vogelveren

handvleugels   armvleugels

Op een bepaalde plek in het bos kun je dikwijls het hele verenpak van een vogel vinden. Wie heeft hem geplukt? Was het een roofdier, zijn de veren afgebeten (A), was het een roofvogel, zijn ze eruit gerukt (B)? Je verzamelt de gebogen slagveren van de vleugel, de handvleugels, die een verschillende breedte hebben (C) en de armvleugels, die ongeveer dezelfde breedte hebben (D), evenals de tamelijk rechte stuurveren van de staart (E). Je kunt de veren met draad op een stuk karton vastnaaien door met een naald door de schacht te steken. Schrijf er dan de naam van de vogel bij, de plaats waar je ze gevonden hebt en de datum.

Lichtgevende ogen

Hoe komt het dat de ogen van katten, honden, reeën en andere nachtdieren licht geven als zij in het donker verlicht worden? Het licht van een lamp wordt door een reflecterende laag in de ogen teruggekaatst. De laag bestaat uit ontelbare, microscopisch kleine 'Guanine'-kristallen, die ook de spiegelglans in visschubben veroorzaken. Omdat de kristallen achter het netvlies liggen, zorgen zij door hun spiegeling voor een tweemaal zo duidelijk beeld op de gezichtscellen. Dat is ook de reden waarom deze dieren 's nachts zo goed kunnen zien.

licht

teruggekaatst licht

netvlies

Guanine-kristallen

Afgeslepen bomen

Je kijkt wel eens bewonderend naar de bizar gevormde alleenstaande bomen in kustgebieden en in de bergen. Het zijn krom gegroeide bomen: jaar na jaar heeft de wind door meegedragen zandkorrels en ijskristallen de jonge boompjes aan de windzijde afgeslepen of de broze knoppen helemaal niet laten uitlopen. In vlakke gebieden waar de alleen liggende boerderijen door bomen en struiken tegen de storm worden beschermd, kun je de windstreken al van verre herkennen aan de silhouetten van de boomgroepen: aan de noordwestkant zijn ze door de storm schuin afgeschoren.

Van wie is dat merkwaardige krabbel-
spoor in het rulle duinzand afkomstig,
wie leeft er in deze schrale wereld? Het
is de rugstreeppad, herkenbaar aan een
gele streep op de bruingroene rug. Als
hij 's avonds zijn hol onder de heide-
struiken of het helmgras verlaat, loopt
en klautert hij, vlug als een muis, zelfs
tegen een steile duinwand, om insecten
die in het zand slapen, te pakken. In
het voorjaar vertrekken de rugstreep-
padden naar de moerassige weilanden
landinwaarts, waar zij paren in ondiep
water en hun schelle 'err-err' tot in de
verre omtrek is te horen.

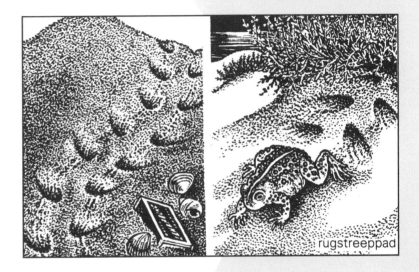

rugstreeppad

Lichtgevende tekens aan het strand

In de zomer, vooral na een regenbui, kun je wel eens meemaken dat de zee 's nachts oplicht: nu eens is het alleen een schittering, dan weer glanst de zee alsof zij door een wit licht wordt beschenen. Het wordt veroorzaakt door miljarden heel kleine levende wezens, zoals het zweepdiertje (A) dat niet groter is dan een speldenknop. Je kunt het vangen in een potje. Een bepaalde stof in deze diertjes begint op te lichten zodra hij met extra zuurstof in aanraking komt. Daarom stralen de koppen van de golven heel helder en de uitlopende branding of de voetsporen van een wandelaar langs de waterlijn en de tekens die je met je vinger in het natte zand schrijft.

Een grote plastic bak met zeewater is voldoende om kleine zeedieren te kunnen bekijken. De bak wordt direct bij de vloedlijn in het vochtige zand gezet en het zeewater wordt dikwijls ververst, omdat de voor de dieren noodzakelijke zuurstof heel snel wordt verbruikt. Krabben (A) en garnalen (B) vind je met nog vele andere levende wezens in de waterlijn. Kleine vissen zoals de zandgrondel (C) vang je met een schepnet. De hartschelp (D), andere levende mosselen, slakken en wadwormen kun je bij eb in het slik vinden.

Vissen vangen bij eb

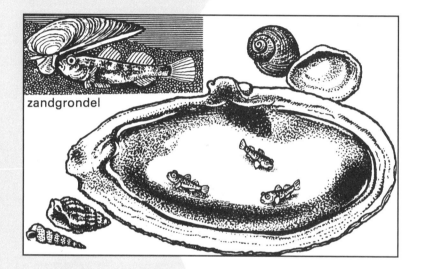

zandgrondel

In de ondiepe waterplassen van het wad flitsen hele kleine visjes met een ruk heen en weer. Aan hun buldoggen-koppen is te zien dat het jonge zand-grondels zijn die pas uit de eieren zijn gekomen, die door hun moeder onder een schelp zijn gelegd. In een grotere schelp zijn de visjes makkelijk te van-gen en kun je ze goed bekijken. Je ziet dan dat ze zich met hun buikvin, die tot een soort zuignap is vergroeid, aan de bodem kunnen vasthouden. Het is een nuttig onderdeel van de zandgron-del, die in de buurt van de waterlijn aan de branding en de stroming van het getij is blootgesteld.

Met zijn zuigvoetjes, een dubbele rij onder iedere arm, kruipt de zeester door het aquarium. Met deze voetjes klemt hij zich in zee om schelpen heen en dwingt ze zo om zich te openen en dan slaat hij zijn maag om het vlees in de schelp heen. Onder de zeesterren zijn wel eens dieren met armen in een verschillende lengte. Dat ligt aan hun vermogen om lichaamsdelen die verloren zijn gegaan te vervangen (regeneratie). Als bij een zeester een arm is afgerukt, dan groeit er weer een nieuwe aan (A). De arm die verloren is gegaan, kan weer 4 nieuwe armen vormen. Als deze armen nog klein zijn, heeft de zeester de vorm van een komeet (B).

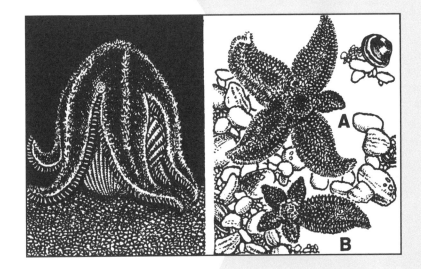

Gangetjes in de zeebodem

Bij eb zie je op het drooggevallen stuk strand talrijke hoopjes zandworstjes. Telkens ongeveer 10 cm daarnaast ontdek je een kleine trechtervormige uitdieping. De scholekster met zijn lange, rode snavel weet precies dat hij op deze plekjes zijn lievelingsmaaltje in de grond vindt, de zandpier, een groenbruine ringworm. Graaf je nu een spade diep, dan zie je een U-vormig buisje waarin de 20-30 cm lange borstelige worm zit. De zandpier voedt zich met plantaardige en dierlijke stoffen die hij in het natte zand vindt of die door de zee in zijn buisje worden gespoeld.

Kreeften met gevoel voor richting

Onder het aangespoelde zeewier vind je 1,5 cm grote kreeften, strandvlooien en zandspringers. Op zoek naar plantaardig en dierlijk voedsel wagen zij zich tot aan het droge zand. Sommige van deze diertjes worden ook met het zeewier door de wind meegenomen. Toch komen zij steeds weer terug naar hun leefgebied in de waterlijn. Je kunt dat goed zien als je de kleine kreeftjes een paar meter van de rand van de zee in het zand zet. Ze oriënteren zich op de stand van de zon van dat ogenblik, letten daarbij op de tijd van de dag en bepalen zo in welke richting ze het water moeten zoeken.

strand-
vlo

zand-
springer

Vondsten met een verhaal

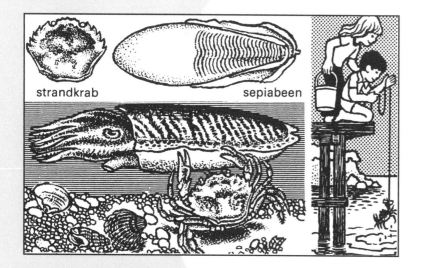

strandkrab   sepiabeen

De schaal van een krab en een stuk zeeschuim, de aangespoelde resten van twee zeedieren, dat is het verhaal van eten en opgegeten worden: de inktvis voedt zich voor het grootste deel met krabben en alleen de schaal laat hij liggen. Als hij zelf na het paren krachteloos op de zeebodem ligt, vallen de krabben hem aan. Van de inktvis blijft niet veel meer over dan de witte kalkplaat in de rug, het zeeschuim of sepiabeen. Krabben ruiken vlees: als je wat vlees uit een schelp of een stukje worst aan een touwtje vast maakt en dit op een plek vol stenen in het water laat zakken, vis je beslist al gauw een krab op.